内山節と語る
未来社会のデザイン①

民主主義を問いなおす

内山 節

農文協

内山節と語る　未来社会のデザイン

1　民主主義を問いなおす

目　次

＊1などの注は、本文に関連する『内山節著作集』（農文協刊）の記述を、❶～⓯の数字は著作集の巻数を示しています（編集部）。

序文　神話としての近代世界

毎年2月におこなわれている東北農家の勉強会の講師を引き受けてから、35年あまりがすぎた。はじめは農文協が主催する「中期講習会」という名称だったが、途中からは東北の農民が自主開催するかたちに変わっている。名称も「東北農家の二月セミナー」となった。本シリーズは2017年、18年、19年のこの勉強会での私の報告を、3部作として書籍化したものである。

■畑を耕すようになって

私が群馬県上野村にはじめて訪れたのは、1970年代に入ってまだ間がない頃のことだった。以降、釣り好きの私はしばしばこの村に滞在した。あるとき村の釣り名人が私に言った。「釣りもいいけど、畑はもっといいぞ」。畑を耕すのは面白い、ということである。そういったときの釣り名人の表情がとてもよく、私はこの村で畑を耕すようになった。といっても2畝（60坪＝200平米）ほどの畑だったから、遠くにある家庭菜園という程度のものである。それでも畑を耕すようになると村人との会話の幅も広がり、またいろいろなことを教わるようになった。この村で暮らしたいという気持ちも大きくなって、後に村人が探してくれた古い家を購入することになる。この家には200坪（660平米）の畑と1ヘクタールの裏山が伴われていたから、私はもう一歩村人らしい暮らしができるようになったと感じたものだった。

2畝の畑を耕していた頃、私に「中期講習会」の講師の依頼があった。私は辞退した。講師役は、以前は守田志郎さんが引き受けていた。ところが残念なことに守田さんが若くして急逝され、後任として私の名前があがったらしい。守田さんは農業経済学が専門だし、農業、農民、農村についてのたくさんの本を書かれた人である。共同体を解体して市民社会をつくるのが歴史の発展だと誰もが語っていた時代に、いつの時代でも共同体は必要なのだということを説いた先駆者でもあった。ところが私はこの分野は専門ではないし、畑を耕していたといっても遊び程度である。上野村に定住しているわけでもなく、東京と上野村を行ったり来たりするような生活をしている。私が守田さんの後任などできるはずがない。当時の「中期講習会」は東北の専業農家の勉強会で、その人たちに話をする能力は私にはない。

農民たちとの出会い

講師の依頼があってから数カ月がたった頃、山形でシンポジウムがあり、私も発言者として出席していた。そのとき、山形県金山町で暮らす栗田和則・キエ子夫妻が訪ねてこられた。栗田さんは「中期講習会」の中心メンバーの一人であり、金山町の最深部の集落で農家林家として暮らしている。キエ子さんが藍染工房をつくったり、都市の人たちとの交流事業もさまざま手がけている。

栗田さんから、あらためて講師役を依頼された。私は農民の勉強会で話をする力はないことを伝えた。と、栗田さんが言った。「私たちはプロですから、農業や農村のことは私たちに任せてもらえばよい。そういうことではなく、今日では農家も世界はどうなっているのかとか、社会とは何か、いま何を考えなくてはいけないのかといった、さまざまなことを視野におさめていかないと、農業、農村を維持するのも大変な時代に入っている。ですからそのときの問題意識で自由に話してくれればよい。それを参考にしながら、農業、農村の場で動くのは私たちの仕事だ」。

ずいぶん前のことなので正確な表現ではないが、栗田さんはこんなことを言われた。私は大地とともに生きる自信に満ちた農民の姿を栗田さんに感じ、東北の農家の人びとと付き合ってみたくなった。私は講師役を引き受けた。

この勉強会が「東北農家の二月セミナー」となり、35年以上もつづくとは思っていなかったが、現在もなお、終了にしようという雰囲気ではない。毎年「講演テーマ」についての依頼はなく、その年に私が話したいこと、というかたちでつづいている。2日間で計4回の講義と討論をするという形式だから、毎年かなりハードである。

35年もつづけているから、亡くなられたメンバーもいるし、高齢でこられなくなった人もいる。しかし、誰もが農家でありつづけている。農業からリタイアした人は一人もいない。とともに、メンバー構成も少しずつ変わってきた。移住してきた新規就農者が加わり、さらには農家ではないが農家や農村との結びつきを大事にしている人、農機具などを販売しながら農家を支えている人なども参加するようになり、そういう結びつきをとおして農的世界が展開する今日の姿を、この勉強会もまた現わすようになっていった。

このような勉強会だから、私は毎年自由に報告をし、討論などをとおしてじつに多くのことを学ばせてもらっている。

■近・現代的世界を問い直す

　さて、この第1巻は、2017年の2月におこなわれた勉強会での報告である。今日では、近代になってつくられたすべてのシステムが限界をみせはじめた。そういう気持ちが、私には年々強くなってきている。そのことを背後におきながら組み立てたのがこの3冊でもある。

　近代社会は三つのシステムが三位一体となるかたちでつくられている。国民国家、市民社会、資本主義である。一番最初につくろうとしたのは国民国家で、これは国民のための国家ということではない。各地の領主の下で、それぞれの「くに」をもちながら暮らしていた人たちを国民化し、国家が一元管理するのが国民国家のかたちである。それは中世後期における、ヨーロッパのくり返された戦争が求めた国家のかたちであった。だがこの「改革」は絶対王制期にはうまくいかなかった。なぜならこの時代の国王の基盤は、領主権力を支配下におくことによって形成されていたからである。

　この限界を打ち破ったのが近代革命だった。近代革命の担い手たちの意図がどこにあったのかとは関係なく、王制や領主権力を打倒し、すべての人びとを自由で平等な主権者にするというかたちが生まれたことによって、人間たちを等しく国民として管理する基盤が生まれたのである。自由な個人の登場が、個人を国民として管理する体制を創造させた、と考えればよい。こうして国民国家と市民社会の一体化された世界が生まれてくると、経済のかたちとしても個人を基調としたものに変えたほうが整合性がいい。ここから個人を基調にした経済社会が生まれてくる。人間を個人としての労働力、労働力商品として扱い、経営者、資本家もまた個人として活動する。生活者としては個人に分解した消費者である。資本主義はこのかたちを基盤にして展開する。ここから生まれたのが、国民国家、市民社会、資本主義を三位一体にして展開する近代世界であり、その土台にあるのは、国民、市民、労働力などとして成立する個人である。

だが現在では、そのすべてが限界を迎えている。三位一体の体制である以上、ひとつが限界に達すれば、他のふたつも限界にならざるをえない。どこの国でも退廃した国民国家が姿を現わし、市民社会ではバラバラになった個人の社会の問題点が目立ってきた。資本主義もまた格差ばかりがすすむ荒廃した資本主義の様相をみせている。

このような状況のなかで、私たちはどこで何を間違えたのかを、根源にさかのぼって検証しなおさなければならなくなった。今日とは、そういう課題を私たちが背負わされた時代である。ゆえに本書に収めた「第1講」では民主主義や近代的理念とされてきたものの問いなおしを柱に据えた。

■未来のヒントを伝統社会にもらう

とともに、近代的世界が限界をみせているのなら、次に私たちはどんな社会を構想するのかも検討されなければならないだろう。

私は「伝統回帰」という言葉を好んで使っている。日本でいえば、明治以降は伝統を破壊してきた時代だ。伝統回帰とは近代以前から学ぶということなのだが、ひとつの時代が限界をみせているときは、過去に未来のヒントをもらうことが必要だと私は思っている。それは、たとえば、今日の農業のあり方に限界を感じた人たちが伝統農業から学び、有機農業の担い手になっていったように、である。ただしそうやって生まれた有機農業は、昔の農業と同じではなかった。伝統農業からヒントをもらい、新しい農業のかたちをつくったのである。

今日では現代社会のあり方を超えていくために、自然と人間の関係が再検討され、コミュニティ＝共同体への関心が深まっていく。あらゆる分野で、関係、関係性、結びつきといった言葉が使われ、気がついてみるとそれらはすべて伝統社会のなかに内在化されていたものなのである。

本書では「第2講」でこの課題を、「第3講」では日本の伝統社会は「関係」をどうとらえてきたのかを報告した。「第4講」はそれらのまとめの章になっている。

近代的世界はさまざまな神話に包まれてきた。経済が発展すれば誰もが幸せになるというのもひとつの神話なら、市民社会が正義感に満ちた生き生きした社会をつくるというのもひとつの神話である。現在とは、その神話性がはがされていく時代である。

＊

なお本書では、たびたびトランプ大統領の誕生や安倍政権についてふれている。それは2017年の発言であり、現在ではどちらもがその職を退いている。しかしトランプ大統領や安倍政権の誕生とともに展開した現代世界のあり様は現在もなお引き継がれており、本書では前大統領などとせずに、17年時の発言をそのまま収録するかたちをとった。

第1講 国家が意味を失う時代に

昨年（２０１６年）の秋、アメリカでトランプ氏が次期大統領に当選しました。今年（17年）の春にはフランスの大統領選もあり、国家主義的な運動をつづけてきた国民戦線のル・ペン氏が大統領になる可能性も皆無ではありません。

世界はどうも新しい時代に入りつつあるようです。そのあたりのことを僕なりに整理してみようと思います。

民主主義は成立しうるのか

企画会社が主導する選挙

最初に「民主主義は成立しうるのか」という問いを考えてみたいと思います。もちろん、制度としては民主主義はとっくの昔に成立しています。でも、では民主主義的な政治が成立しているのかというと、誰もが首をかしげるような状況が、日本だけではなく世界中にあると思います。

こういう問題について、20世紀の前半までと後半以降では、民主主義的な立場をとる人たち、リベラリストたちも、考え方のスタンスを変えてきたように思います。20世紀の前半ぐらいまでは、「民主主義はいつかは完全なかたちで実現する。まだ成熟していないので不完全さをもっているが、いつかは成立する」という立場で、社会をどこまで民主化していくかが課題だ、そういう考え方をとる人たちが中心でした。ところが20世紀の後半ぐらいになると、「民主主義は実現するのだろうか。むしろ成立不可能ではないか」という考え方をとる人がふえてきました。制度的な民主主義なら制度を整えればいいわけですが、実際にはどこの国の議会でもそうですが、多数派の横暴でしかない。さらに言えば、多数をとるためにあらゆる煽動がおこなわれる。

特にいまの選挙は企画会社が入って綿密に世論調査をしながら煽動していくというやり方をとっています。いまの自民党政権の企画をやっているのも大手の企画会社ですし、民主党が政権をとったときに企画をしたのも別の企画会社でした。そういう企画会社が入って、選挙で何を訴えたら勝てるかを綿密に計画し、それに則っていろいろなことがおこなわれていく。そんな政治が世界中で横行しているのです。16年秋にトランプ氏が無手勝流で勝ったというのは、そういう意味では快挙なのかもしれません。

戦争のときも、何年も前から企画会社が入ってキャンペーンをくり返しながら国内の世論を統一していきます。もちろん企画会社がテレビコマーシャルで「戦争をやりましょう」と言うわけではないのですけれど、その綿密な計画にしたがって政治家が発言し、だんだん世論統一をしていく。それがある意味で成功したのがボスニア・ヘルツェゴビナをめぐるユーゴスラビアの戦争でした（＊1）。あのときから企画会社が全面的に入ってきた。戦争だから両方とも虐殺めいたことをやったり、いろいろなことがあるのですけど、片方だけが圧倒的に悪いことをやっていて虐殺したりしているようにみせ、虐殺されている人たちを救出するために正義の戦争が必要である、という国際世論を形成する。この方法がその後のイラクとかアフガニスタンとかいろいろなところで使われていきます。そういうかたちで世論が生まれ、選挙での勝利も発生し、そして勝ってしまえば多数派の横暴。それが現実だから、「民主主義とは本当に存在するのか？」となってきた。

それでも旗だけは守る？

そういうことがだんだんわかってきたときに、リベラルな立場をとる人たちがどういう考えをとったかというと、「それでも、民主主義は実現するという旗を降ろしてはいけない」という立場だった。その旗を降ろしてしまうとますますどうなるかわからない。民主主義という旗を立てつづけることによって少しでも悪化するのを防ごう、あるいは一歩でも前に行こうと。それが重要なのであって、民主主義は実現するわけではないけれども、民主主義の旗を降ろしてはいけない。リベラリストは最近になるとそういう立場をとっています。

ある意味ではオバマ政権もそういうところがありました。彼は比較的リベラルな人で、もともと法律の専門家だから、やったことの良し悪しは別として、「民主主義の旗を立てつづけ、一歩でも前に行こう」という感じでした。「核なき世界をつくる」というあのスローガンも、結果的には何もできていないのですけど、旗を立てていることが重要で、それを「核兵器は必要です」としてしまうとすべて台無しになってしまうと、そういう立場をとってきました。

僕の子どもの頃は、学校でも、民主主義がいかに大事か、いかに実現させるか、といったことを教わりました。でも、いまこの立場をとっている人がいたら、よほど古い人という感じです。リベラルな主張をしている人でも「民主主義なんて実現しないのだけど、旗を降ろすわけにはいかない」という立場になっています。

だから憲法9条みたいなものです。憲法9条には、日本は交戦権をもたない、一切の軍事力

（＊1）「空爆のニュースをみながら、しかし自分の生活は破壊されない安心感が、戦争を支持する動機になってきている」❼**『続・哲学の冒険』所収「月曜の手紙」**（187頁）

「戦争は「開戦」の前からはじまる。……「開戦」後のスムーズな展開と、その後の支配を「正統」なものととらえさせていくための国内、国外の世論工作がここではおこなわれる」⓮**『戦争という仕事』所収「戦争の世紀」**（337頁）

をもたないと書いてあります。そうすると憲法に正確に照らし合わせれば、自衛隊があること自体が違憲だし、ましてやＰＫＯで海外に自衛隊を派兵してもよいというのはどこにも出てこない。だから９条自体は現実にはもうボロボロになっているわけです。だけども、やはり９条という旗は立てておいたほうがよいと。「どうせボロボロだから９条はもう降ろそう」ということになると、ますますとんでもないことになってしまう。だから９条は守っていきましょう、というのがいまの主流だろうと思います。なかには「９条をしっかり守っていれば戦争なき世界が実現する」と思っている人も若干いるかもしれないけれど、ほとんどいないでしょう。昔ならば「９条をしっかり守って戦争なき世界をつくる」という感じで主張したのだと思いますが、いまはもう「ボロボロの旗でもこれを降ろしてしまうとなおまずいことになるから、旗だけは守っておこう」というような、そんな感じの憲法擁護論に移ってきていると思います。

たそがれる国家

本当に「強い」国家とは？

２０１６年10月から、講談社の「現代ビジネス」というＷｅｂマガジンに「たそがれる国家」

というタイトルで連載をはじめました。1年近くつづけましたが、「たそがれる国家」というのは「国家が意味を失っていく時代」という意味です。国家が意味を失っていくからこそ、強い政治家に期待し、国家を強化していこうという意見もでてくる。

いま「強い国家」という言い方をしましたけれど、僕はもし強い国家があるとすれば、それは持続する国家だと思っています。持続性があるということは強いことです。農業でも同じで、いっとき儲かったからといって強い農業ができるわけではない。持続性のある農業があれば、それは強い農業といってもよい。地域社会でも同じで、一時的に何かで経済的に潤ったからといって強い地域社会ができるわけではない。持続する地域社会があるということは、その地域は強い地域だという言い方ができる。強さというのは持続性の問題なのです（＊2）。

明治になって日本は富国強兵をすすめて、文字どおり強い国家をつくろうとしました。しかし強い国家ができたのでしょうか？　僕はむしろ脆弱な国家をつくったと思っています。実際、それから何十年か経つと、いっぺん日本国家崩壊という感じになりました。わずか数十年ぐらいで崩壊する国家が強い国家であるはずがない。

それと比べると江戸時代のほうがよほど強い国家で、とにかく二百何十年つづいた。江戸時

（＊2）「近代社会は長い時間を支えるシステムの創造に失敗した」❾『時間についての十二章』（244頁）

代が素晴らしかったと言っているわけではないのですが、二百五十年もつづいたということはかなり持続性をもっていた。そういう意味ではけっこう強い国家だったと言えます。逆に言うと江戸時代は分権型の国家だから、幕府があるとはいえ幕府がすべてを取り仕切っているというわけではなくて、それぞれに藩があり、藩のなかにはまた村や町があり、それぞれがそれなりに自立性をもっていました。幕府からみると統制が効ききらないわけですけれど、逆にこのかたちが持続性のある国をつくった。そういう意味では強かったのです。

日本の場合、僕らがよく「戦前の日本は」というような意味での「日本」ができていくのは、昭和になってからのことです。昭和になると言論統制なども厳しくなってくるし、そういうこともふくめて文字どおり軍部と政治と一部財閥による独裁体制のような、非常に強い国家みたいなものをつくったはずでした。ところがこのかたちはわずか十数年ぐらいで完全崩壊してしまう。ということは、なんと弱い国家をつくってしまったのだろうということになる。

そういう時代をへて、いままた、国家が意味を失ってきている。意味がなくなってきているがゆえに、見た目に強い国家のようなものを希望する人たちがでてきている。その見た目の強い国家をめざしていくと、じつは脆弱な国家をつくっていくことになる。そういう状況にいままた陥っているのではないかという気がします。

独立問題がくすぶるわけ

たとえば沖縄について考えると、本当に沖縄が日本であることに意味がなくなってきた感じです。以前だと沖縄の人たちからみると複雑な気持ちで、あれだけ基地が集中しているから基地は撤去してもらいたいという気持ちはもっているけれども、基地経済に依存している割合も高かった。撤去はしたいが基地を撤去してしまうと沖縄の経済がガタガタになる。そういうジレンマがありました。

それがいまは、沖縄は基地経済のウエイトは５％くらいになっています。主要なものは観光業と中継地です――航空貨物を送る場合、日本中の飛行場からでた飛行機が一度那覇空港に降りて、上海に行く荷物、ベトナムに行く荷物、といった具合に仕分けをするのです。もともと沖縄は東アジアにおける国際貿易の中継地の役割を果たしていたけれど、この昔の中継地沖縄が、いま航空貨物を使って新しいかたちで復活してきたのです。一方で、いまの沖縄の観光のやり方は持続性があるのかちょっと心配なところもあるのですけれど、とにかく観光客であふれている。そういう経済になってきています。だから米軍基地はむしろ撤去して、跡地を上手に再開発したほうが沖縄としてはずっといい時代に、すでに移っているのです。基地に依存する割合は低下して、しかもうるさいうえにいい場所をぶんどられているので邪魔者でしかない。

ところが、撤去したいのですけど、日本である限りは日米安保条約のもとにあるし、日本政府の意向とアメリカ政府の意向に縛られてしまうわけです。日米政府からすれば、基地をつくる場所としてはあんなに都合のよい場所はない。昔は仮想敵国はソ連だったのでもう少し北方の基地も重要だったのですけど、いまは仮想敵国がだんだん中国に移ってきている。そうすると沖縄は地理的にもじつに便利で、基地機能が強化されることがあっても撤去されることはない。

ですから沖縄はむしろ独立してしまったほうがはるかに自由度が増す。日本であることのプラスよりもマイナスのほうが大きくなった。そう言える状況になってきました。沖縄における独立支持の人たちも昔は1％未満でしたけど、最新の世論調査だと8％くらいあるというものもあって、急速にふえつつあります。実際、沖縄独立支持者が20％を超えたら日本政府はそう慌てることになるでしょう。どんなときもそうですけど、「どちらとも言えない」という人が多数派ですから、「独立賛成」という積極的な人が20％を超えて、「どちらとも言えない」という立場の人たちを揺り動かしてしまうと、賛成が半数に近づく。そうすると日本としては大慌てになるでしょう。

沖縄については独立しようと思えば意外と簡単に独立できます。というのは、別に武装蜂起して自衛隊と戦わなくてもいい。世界的なひとつの同意事項として先住民族の権利が確認されているので、沖縄の人たちが「我々は沖縄先住民である」と言いはじめると、合法的に自治権の確立とか独立権の確立ということがでてきます。翁長知事はアメリカに行って発言したりといろいろしていますが、日本の政府が一番気にしているのは彼が「沖縄先住民」という言葉を使わないかどうかです。翁長知事もそのあたりを取引材料にしながら揺さぶっているのですが、いよいよとなればそれを使うかもしれません。そうすると国連に対し先住民保護の要請をするというかたちになるので、これはほとんど自動的に認められる。というのは、沖縄は明治の琉球処分で日本に併合されたことがはっきりしているからです。当時は軍隊がなく警察隊でしたけれど、警察隊が首里城を包囲して開城を要求した。そういうかたちでの併合でした。文化的にも本土と沖縄はずいぶん違う文化をもっている社会なので、先住民という主張をだせば国際的には十分通用する主張になります。だから独立支持が20％くらいまでくると、どうなるのかという雰囲気があることはあります。

国家はだんだんその国のもとにある有益性よりも不利益性のほうが大きいと感じる人たちがふえてくる傾向にあります。ヨーロッパでも同じことが起きているから、独立問題がでてくる。イギリスでもスコットランドの人たちからすればいまのイギリスに入っていることはデメリットのほうが大きくなってきている。その結果スコットランド独立問題がくすぶりつづけることになる。スペインでもバルセロナを中心としたカタロニア地方の独立問題がとりあえず問題になるし、それが実現すると再びスペイン・バスクの独立がくすぶってきます。

世界中で国家がたそがれる時代にきている気がします。それで「たそがれる国家」という連載をはじめました。

民主主義と民主王朝制

選挙でできた王朝

民主主義という言い方をしていますけれど、僕はむしろ「民主王朝制」とでも言ったほうがいいかなという感じを最近はもっています。いま、韓国は朴大統領が弾劾訴追されて職務停止中で大混乱になっていますが、韓国の大統領も国民投票で選ばれているわけで、そういう点では民主的な手続きを踏んで大統領になっているわけです。しかし大統領になれば一族の利権だとか取り巻きの利権だとか、そんなことをどの大統領もやっていて、そのために大統領を辞めた後はだいたい不幸な結果になる。政権自体は選挙で選ばれているのですけれど、できあがった政権はむしろ王朝的な権力を確立していく。そして関連する経済界に便宜を図ったり、一族を登用したりいろいろなことをやってしまう。民主主義の政権と考えるよりも「民主王朝制」

と思ったほうが妥当ではないかという気がします。

よく思い出してみると、１８０４年にナポレオンがフランスの皇帝になりました。フランスではその15年ぐらい前、１７８９年にフランス革命があって一度は共和制になっています。でもフランス革命後の混乱があったし、当時のヨーロッパ情勢のなかでは軍事力がないといけなかったりした関係で、ナポレオンは皇帝に就任する少し前にもう全権を掌握していたのですけど、１８０４年に正式に皇帝になってナポレオン王朝をつくりました。ナポレオン王朝は国民投票によって成立した王朝という初のケースでした。国民の過半数の支持を得て皇帝の座に就き、王政をしいたわけです。一応、手続き的には民主主義的な手続きを踏んでいる。けれどもできあがったものは民主的な政権ではなく王政だった。

もうひとつ、１９３３年にヒトラーがドイツの首相に就任しました。その数年前の選挙でナチスが第一党になり、次の選挙では若干議席を落とすけれど第一党であることには変わりなかった。そういうことを経て、大統領の指示を受けてヒトラー内閣ができたのが１９３３年です。そこまでの過程は、民主的な選挙を経ながらのプロセスだったわけです。ただ、政権に就いてしまえば、いろいろな謀略などを使いはじめて、国会議事堂放火事件をでっち上げたりした。当時ドイツは左翼勢力が強かったのでそこを暴力的に潰してしまおうと。そうしながらできていくのはむしろヒトラー王朝と呼んでもよいような強権体制でした。

選挙はこういう一種の王朝をつくっていく歴史ももっているのです。その目で韓国などをみていくと、選挙で選ばれても、大統領になってしまうと強大な権力を手に入れられる。やっていることはむしろ王朝に近い。それは日本でも、あそこまでは激しくないにしても似たような面はもっていて、選挙で勝ってしまえばいまなど「安倍王朝」みたいな感じで、好き勝手をやっています。いまの政治は王朝の変形のような気がしてくる。

デマゴーグの政治

なぜそんなことが成り立つのかというと、国家が強大な権力をもっているからです。あまりにも大きな権力をもっているから、それを握ってしまえばある意味では好き勝手ができるということになるわけです。

ところがその王朝を維持しようとすると、また国民投票によって維持されなければならない。そこの部分だけが本当の王朝とは違います。つまり国民に見放されてしまうと王朝は崩壊する。

そこの部分に、さっき言ったように企画会社などが入り込んできて、いろいろな国民煽動のやり方を伝授していく。企画会社が入るということは、物を売るときの手法を政治的に使うということです。彼らは、広告屋として「どういう広告を打てば売れるのか」を考えてきた。広告というのは、テレビＣＭとか新聞広告のようなものだけではなくて、たとえば人気テレビドラマの主人公が着ている洋服とか、人気俳優が乗っている車とか、そういうものが売れ行きに影響していく。だから単に広告を打つだけではなく、ドラマで使ってもらうとかいろいろなことをやり、場合によっては月刊誌や週刊誌などでどんなふうに取り上げてもらうか、そうやって総合的に世論操作をしながら売っていく、そういう手法なのです。その手法を政治の分野で使っていく。

そうすると、何年かに一度かぐらいは国民投票によって王朝にチェックが入るとは言いながら、そのチェックがあやしくなってくる。投票に勝たなければ王朝はつくれないし、王朝をつくっても次の選挙で負けると王朝は崩壊になるから、何としても勝とうとする。そこで発生するのはポピュリズムと最近では言われているような一種の大衆迎合主義です。

ただ、いまは新聞やテレビでも「ポピュリズム」という言葉をよく使っていますけど、僕は使い方が間違っているんじゃないかと思っています。ポピュリズムとは大衆迎合、大衆が考えている動向に迎合することで支持を集めることです。いまおこなわれていることは、むしろ正確には「デマゴーグ」の政治と言ったほうが正しいのではないか。デマゴーグの政治とは、人びとを煽動しながら政治をすすめていくやり方で、いまやっているのは明らかにそれです。トランプ氏がポピュリズムだというのもなんだか納得できない。あの人は選挙戦のなかで人びとを明らかに煽動していった。「不法難民によって我々はこんなひどい目にあっている」とか、いろいろなかたちで煽動して自分たちの支持を集めていったのです。このやり方はむしろデマゴーグの政治と言ったほうが正しいのではないかと思います。そういうことが現在の政治ではおこなわれている。

強大すぎる国家権力

ここで一番問題にしなければいけないことは、国家の権力が大きすぎるということです。徳川幕府くらいの国家権力だったら、こうはならないはずです。徳川幕府もときには藩を潰したりしていますが、それがさかんにおこなわれたのは、家康から三代将軍家光までの時代だった。この頃までは戦国時代の事後処理のような時代で、誰がまた反旗を翻してくるかわからない時代だったから、藩の領地換えとかいろんなことをやりながら、いくつもの藩を見せしめ的に潰したりもしました。その後、四代将軍以降になると幕府権力が安定してくるので、取り潰しがあるにはありましたけど、よほどのドジを踏まないとなかった。むしろ分権型安定社会のようなものに移行していったのです。幕府の力は、制度上はかなり強大です。だけど制度上で言うと幕府の上には天皇がいた。ところがその天皇は張り子の虎のようなもので、実権はまったくもっていない。実際に人びとの世界では、幕府よりも藩のほうが力をもっていました。さらには村の自治のほうが力をもっていたり、共同体の取り決めのほうが人びとの現実の世界では力をもっている、そういう社会をつくった。だからあまり強大な国家権力が存在しない。それが結局は長い期間持続する基盤をつくったということができる気がします。

それと比べるといまの民主主義政治は、強大な国家権力をつくりあげていて、それがゆえにそれを握ってしまえばやり方によってはむしろ民主的な政府というよりも新しい王朝の政府のようなものになってしまうのです（＊３）。

近代世界の建前について

革命で問われなかったこと

どうしてそうなったのか。近代の民主主義政治という制度は、ヨーロッパからでてきた。ところが簡単に言うと、中世の王朝制を民主化するようなかたちで近代の政治制度ができあがっ

（＊３）「労働者にとって廃止されるべき国家・政治とは、何に基礎をおいて生みだされ、いかなる構造をつくりだしているのだろうか」❶『**労働過程論ノート**』所収「**労働過程と政治支配**」（324頁）

てしまった。この時代の王朝制は絶対王制の時代ですが、強い中央権力体制をもっていた。その絶対王制の権力を、民主的に政権を選ぶ制度に切り替えた。それが近代のヨーロッパがつくった国家です。それが世界中に伝播したので、いまだに国家があまりにも強大な力をもっている。

近代的な世界では民主主義的政治というとイギリスから議会政治がでてくるのですけども、もうひとつ、社会理念としてはフランス革命によって「自由・平等・友愛」という考え方がだされました。ただ、ヨーロッパが考えだした発想は、中世ヨーロッパ社会の考え方を少し変形させたものでした。さっき言ったように後期中世ヨーロッパは、強大な国家があってその国家に権力が集中するという仕組みでした。その仕組みはそのままに、王様からその息子に地位が譲られていくのではなく、そこに王様を選ぶ選挙を入れた。そういう意味での改革がおこなわれたけれども、国家の原型は伝統的な王政にあるのです。

「自由・平等・友愛」の欺瞞（＊4）

フランス革命のなかでだされたスローガン「自由・平等・友愛」も、もともとキリスト教社会の理念でした。キリスト教社会では、「神に従う人間に対して神は自由を与えた」とされています。神が与える「自由」とは、僕らが言う「言論の自由」とかの自由ではなく、「神にしたがいながら清廉に生きていく自由」みたいなものです。それを全うしていけば天国に行ける自由でもあります。ただしその自由は義務を伴っていて、その義務とは神に仕える義務です。神に仕えない人間には、神は自由を与えない。

「平等」はというと、「神の下での平等」、神を信仰する以上すべての人が神の下で平等ということです。これもまた精神世界の問題であって、王様も末端の庶民も神に仕えている以上は平等だということですが、現実の生活においてはまったく平等ではない。ただ、神の下では平等だと。それがキリスト教的平等と言ってもよいです。「友愛」もまた、神を信ずる人たちがともに結ばれている、あるいはお互いを愛し合い助け合う。これもあくまで神に仕えている人たちの友愛です。

このキリスト教徒としての「自由・平等・友愛」は、キリスト教徒ではない人間にはまったく適用されません。キリスト教徒ではない人間には神が与えた自由はないし、神が与えた平等もないし、その下での友愛もない。

（＊４）資本制社会の文化のもとでの自由、平等と、労働にもとづく自由、平等のちがいについて――❶**『労働過程論ノート』**（310頁～）

「自由、平等、友愛という人間の理念……近代以降の人間の精神的世界自体のなかに戦争を必然化する要因がひそんでいる」⓮**『戦争という仕事』**（43～44頁）

それが近代になると、宗教は個人のものということになり、宗教を社会原理から排除することになりました。中世社会においてキリスト教による政治や社会への介入がひどすぎたから、社会のつくり方から宗教は除外しようということになったのです。けれども、「自由・平等・友愛」という思想はそのまま残った。ただそこから神や王を排除することになったから、社会理論としての自由・平等・友愛というふうに切り替わっていったのが近代でした。

民主党政権ができたときに鳩山由紀夫首相（当時）が「友愛社会」と言っていました。言いたいことはわからないでもないのですが、正確にはあの「友愛」の使い方は間違っています。友愛は、さっき言ったようなキリスト教的友愛からはじまっていて、近代になると「文化・文明を共有する人たちの友愛」です。文化・文明を共有しない人たちは友愛の対象から外されるという、非常に排他的な側面をもっている友愛主義なのです。簡単に言うと西ヨーロッパ的な社会理念とか文化とか文明とか、そういうものを共有する人たち、あるいは共有しようとする人たちに対して友愛の手を差し伸べるわけですけど、それに敵対する人たちは友愛の対象ではない。

それがいまでも現われているのはイスラム教徒に対する差別と迫害です。イスラム教は、西ヨーロッパがつくった理念・文化・文明に対し批判をしてくる。違う理念・文化・文明を確立しようとしてくる。それはヨーロッパの側からみると同志ではないわけで、排除・迫害の対象になる。それがいまフランスなどでもそうだし、ヨーロッパ各国で絶えず起きてくる。決して全人間に広げられた友愛ではないわけです。

それは「平等」でも同じで、自分たちの理念・文化・文明を共有している人たちの平等。そこから外れている人たち、たとえばＩＳ（イスラム国）は平等の対象ではない。ＩＳに対しても人間としての平等の手を差し伸べながら「君たち、このやり方でいいの？」というふうに改革を求めていくような発想はどこにもないわけで、「自分たちの敵ならばぶち殺せ」という話になってしまうのです。

「自由」も同じです。自分たちの理念や文化・文明を共有している人たちの自由だから、それにそむく連中はもはや自由の対象ではない。内部に非常に差別とか迫害的なものを抱え込んだ「自由・平等・友愛」なのです。

その点日本はアジアの優等生で、特に戦後になってヨーロッパの生んだ近代理念を全面的に受け入れる社会形成をしてきました。だから向こうからみれば「よい人たち」になり、一応「自由・平等・友愛」の対象になる。だけど何かあると「アジア人などその対象ではない」という気持ちをもつ人たちも登場してきます。

そうやってでてきた近代の理念は、さっきも言ったように建前にすぎません。つまり本当に実現するものではない。ただリベラリストの立場に立つ人からすれば、特に20世紀後半ぐらいになると、「この旗を降ろしてはまずい」ということで掲げつづけるという建前なのです。

近代理念の崩壊

先進国が富を独占できなくなった

ただ、20世紀の中盤ぐらいまでは、この旗があたかも実現できるような時代をつくったことも事実です。まだいろいろな問題はあるのだけれども、少しずつ前へ向かって前進しているような、そういう時代をつくった。

なぜそれができたかというと、先進国が世界の富を独占したから。これに尽きます。いまから30～40年前だと、世界の生産力は先進国の独占でした。自動車を輸出できる国というと日本、アメリカ、イギリス、フランス、イタリア、ドイツ、スウェーデンぐらい。この7カ国で世界の自動車市場を独占していました。メーカーどうしは当然競争していますけれど、それが先進国に富をもたらした。電機でも同じで、もう2～3カ国ふえたぐらいの国が世界の電機関係の生産を独占していました。その一方で1970年頃までは資源がタダみたいに安かった。石油も1バーレル1ドル台とか――いまは50ドルぐらいです――。タダみたいな石油を使ってモノをつくり、それで世界の市場を独占していたのです。

それが、70年頃にアラブの産油国がＯＰＥＣをつくり、「この価格では売らない」と言いはじめたので、石油価格は一気に10倍ぐらいに跳ね上がりました。一番高かったときは１２０ドルぐらい。それで産油国が金持ちになるような時代をつくった。そこまでは資源の値段が高騰したということで済んでいたのですが、80年代以降になると当時の途上国のなかから生産力を高める国がでてきます。特に韓国とか台湾あたりがものすごく力をつけてきて、ほぼ先進国の仲間入りというような状況をつくりあげました。いまでは中国がものすごい生産力をもっています。

いま日本周辺の国をみても、韓国は日本では自動車の発売をしていないですけれど――ヒュンダイ（現代）というメーカーがかつて日本でも販売したが、全然売れなかったので撤退してしまったのです。そのうち様子をみて売りに来るのではないかという気がしますが――、自動車評論家の人たちの評価をみるとヒュンダイの車はかなりいい感じのようです。日本のあまりよくない車を買うよりひょっとしたらいいかもしれません。それぐらいの製品をもうヒュンダイとかキア（起亜）自動車とかがつくっています。アメリカ市場では日本車と韓国車はかなり競争している。台湾も最近になって生産をはじめました。ただ大量に車をつくって売ろうという感じではなく、むしろ台湾は電機関係のほうが中心です。いま、世界一の自動車生産国は中国で、最近ではフィリピンもベトナムも、マレーシアやインドネシアやタイも生産している。簡単に言うとどこでもつくっている。万事がそうです。

世界的な過当競争へ

その結果、先進国への富の集中などできなくなってきました。結局、世界的な価格競争だけが展開する時代に移ってきたのです。それがかつては世界最強ではないかと思われていた日本の電機メーカーをガタガタにしました。シャープは台湾企業に買ってもらってなんとか生き延びている状況だし、東芝はここにきて資産の切り売りでなんとかしのいでいる状況です。パナソニックは一応、直近の収支は黒字をだしていますけれど、長期的には皆不安に思っています。というのは、黒字をだす過程で1万人を超えるクビ切りをやっているのです。クビを切られた側からすると、パナソニックは存続したと言えるのかどうか……。この後パナソニックは何を軸にして競争に勝っていくのか。三洋を買収しているので電池がありますけれど、リチウムイオン電池は韓国も遜色のないものをつくっているし、ここにきて中国が相当生産を伸ばしてきています。そうするとまた過当競争でピンチになる可能性がある。もう一方で、これからの自動車は電気漬けになっています。もうすでに電気的な制御装置が車にはいっぱい入っていますけれど、最終的には「車はモーターと電池で動く電気製品」という時代に遠からずなるでしょう。その分野を押さえようとしているのでしょうけど、これまた世界中が狙っています。また過当競争に巻き込まれるだけとなると、はたして大丈夫なのだろうか、という状況もある。

そういう傾向が進行していたから東芝はSDカードなどに使われているNAND型という記憶ICに特化し、もうひとつ原発に特化しました。ICのほうはなんとか利益をあげていますが、それを売却してしまった。さらに原発がとんでもないことになっている。確かに計算上は、原発は儲かる。値引きなどないですから、いわば言い値で売れる代物です。しかも一度売ってしまうとその後のメンテナンスでずっと儲かる。車だったら、メンテナンス料がメーカーなら5万円だけど町の整備屋さんなら2万円だったりして、消費者は選択できますけど、原発はメーカーの独占だから、言い値でずっとメンテナンスができるわけです。だから非常に儲かるはずだった。しかしそれがとんでもないことになってしまい、今回1兆円近い減損処理をしなければならなくなった。債務超過になり、そのままでは倒産するので、虎の子NAND型のフラッシュメモリー部門を一部売却する計画をつくり、さらに一部では間に合わなくて全部売却してもいいという話になっています。

もうひとつ、原発問題で隠れていますが、東芝は火力発電所もやろうとしました。いまの火力発電はLNG（液化天然ガス）で動くので、天然ガスと火力発電所をセットで売ろうとした。「うちの火力発電所の技術を買ってくれればLNGを安定供給する」というかたちでした。それでアメリカのシェールガスを大量購入する仕組みをつくった。ところが、ＬＮＧが非常に高いときに契約したので、いまの価格だとまったく採算が合わない。いまのＬＮＧの価格に切り替えて減損処理をしなければいけない。そうするとまた１兆円くらいの赤字が出るだろうと言われています。

そんなリスクの高いものになぜ手を出したのか。それは結局、通常の電機製品をつくって売ってもその市場で利益をあげることがすでに困難になっていたからです。この市場は世界的な過当競争に入っている。要するに先進国の富の独占がもう終わったということです。

建前も守れなくなった

先進国が富を独占している間は、企業も富をたくさんもてるし、結果として国も税収がふえるし、企業も安定的に収益を拡大していけるので従業員に対してもある程度賃金アップをしていける。日本の高度成長期などはそういう感じでした。人びとからすると、「賃金が上がって一昨年までは買えなかったものが買えるようになった」とか、「５年前までは絶対に行けなかった海外旅行に行けるようになった」というようなことで、気分的には「自由」感があったり、「我々でさえできるようになった」ということに「平等」感があったり、そんな時代をつくった。いまになってみると、そんなものは本当の自由や平等なのだろうかという疑問がでてきているのですが、それが実現していく過程では「自由」感も「平等」感もあったのです（＊５）。国のほうも、ただの強権的な王朝国家にすぎないと言ってしまえばそうなのだけれど、税収がふえていくものだから、それによって社会保障制度を少し充実させるとか、いろいろなことができた。そのために王朝的独裁権力という面が隠されて、「国民のためにいろいろなことをやってくれる政府」というイメージができていく。先進国が世界の富を独占している間は、あたかも近代の理念が実現していくかのような、そういう時代をつくっていったのです。

１９７０年代中盤以降になると、その構図は崩れました。我々からすると、税金は上がるし社会保障も悪くなっていく。働けど働けど生活は楽にならない。就職しようとしても非正規雇用だらけ。こういう時代になりました。先進国の果実がなくなったということです。

さっき言ったような、近代の建前があたかも実現していくような雰囲気をつくったのは、先進国だけなのです。途上国や新興国は富の独占に加わっていないから、そこには王朝的な国家だけがあった。独裁権力だけが存在し、選挙という制度だけがつくられるという話になっていました。

（＊５）「不自由を不自由と感じとれない、これが本当の精神の不自由っていうんだろうね」❹『哲学の冒険』（164頁）

むき出しの利害衝突へ

近代社会の建前を維持できたのは、「建前を守っていればいつかは実現する」というような雰囲気があったからです。ところがいまは、この建前は完全に破れた旗のようなものになっている。そしてまた、「それでもなおかつ建前を維持することで社会の劣化を防ぐ」というやり方にも人びとはくたびれてきました。「それよりもむしろ本音で生きよう。建前で生きるのはもうやめよう」という人が大量に出てくる。そこでまた、その人たちに対して煽動ということがおこなわれる。トランプ氏のような人によって「不法移民が我々の職を奪っている」とかいろいろなキャンペーンが張られていくことになり、いまの現実ができてきます。

ヨーロッパでも同じで「外国人労働者の存在が我々の社会を悪化させている」とか、「イスラム教徒がふえていることがいろいろな社会不安をふやしている」とか、そういう煽動がおこなわれ、ある種の世論形成がすすむ。それが国家主義的な政党の勢力拡大につながっていくような時代をつくってきました。だから人びとからすると、自分の利益を守ってくれる強い政治家に期待するということになる。いまの日本でもそうです。日本の場合は、中国とか北朝鮮というよくわからない国が近くにあります。いまの日本の政治家からするとこの2国の存在は本当に助かる。中国脅威論と「北朝鮮がいつミサイルをぶっ放すかわからない」という雰囲気を煽動しておけば、「強い国家をつくる」ということに簡単に支持を得られる。北朝鮮と中国の2国が安倍政権を支えていると言ってもいい状況になっています（＊6）。

いまはそういう時代に移ってきました。そのなかで、かつては普遍的価値だと思われていた「自由・平等・友愛」とか「民主主義」が、気がついてみたらそんなものは全然普遍的価値ではなく、実現することさえ不可能なものにすぎなかった。そのことに気づかざるをえなくなってきて、そこからむき出しの利害衝突の時代に移ってきたのです。

分解と混乱を極める世界

気がついてみると、普遍的な価値とは支配の道具にすぎなかったのです。フランスではいまでも「自由・平等・友愛」というスローガンがいたるところに書き込まれています。ビルにも彫ってあったりします。つまりこの言葉は国民的アイデンティティとして、国民統合の象徴として使われているということです。もしあれを外してしまうと、フランスは一気に分解してし

（＊6）「一夜にして国民は団結してしまった。……戦争自体が国民の意識を統合してしまったのである」（フォークランド諸島をめぐるイギリスとアルゼンチンの戦争について）❺『自然と労働』（184頁）

まう。いまやそのフランスでも、この建前を守りつづけようという勢力よりも、それを蹴飛ばしながらきた国民戦線のル・ペン氏のほうがひょっとしたら大統領になるかもしれないというぐらいの力をつけてきた（＊7）。

天皇制が抱える矛盾

その点から言うと日本の場合は、国民統合の理念のようなものがない。なぜかというと、明治になって、日本の伝統的なものを切り捨てて欧米を模倣して国づくりをしたからで、近代以降の日本からは何の理念もでていない。そうすると日本を統合するためのものがどこにもないわけで、結局その役割は天皇、もしくは天皇制によっておこなうというのが日本のやり方になっていきました。

天皇制がいいか悪いかは別の問題として、現在天皇の生前退位について議論がすすんでいます。世論調査をみても国民感情は「退位させてあげましょうよ」というのが圧倒的多数です。ここで言われているのは、人間としての天皇に対する意見です。つまり「天皇陛下も人間で、ああやって一生懸命被災地を回ったりして頑張ってくれている、素晴らしい人だ。でも高齢だし、もう楽にしてあげましょうよ。生きている限り90歳を超えても公務をつづけろというのは、いくらなんでもかわいそうだ」ということです。

しかし、天皇制の問題はそんなに簡単ではありません。まず、象徴天皇制というのはじつは成立不可能な天皇制なのです。憲法には「国民統合の象徴」と書いてありますけれど、象徴というのはたとえば富士山みたいなものです。日本を象徴する山、富士山。各地にも、たとえば津軽なら岩木山とか、それぞれ象徴的な山があります。それは皆が、たとえば津軽の人ならば岩木山をみながら暮らしていて、自分たちの故郷を思うたびに岩木山が浮かんでくるといった世界です。この場合、岩木山は何の主張もしないし何の行動もしない。富士山も同じで、噴火することもあるけれどそれ以外では何の行動もしない。だから象徴なわけです。象徴とはそういうもので、人間性のあるものではない。だから皆が認められるのです。

天皇も、象徴である限りはいかなる意見も述べてはいけないし、いかなる行動をとってもいけない。憲法で決められている国事行為と皇室行事以外、一切やってはいけないことになっています。国事行為とは、国会が開会されるときに国会で挨拶するとか、内閣ができたときに内閣を任命するといったようなことです。そこでは、意思表示はありません。「このような内閣を任命しなければならないのはとても残念だ」とは絶対言わない（笑）。本当に単に富士山の

（＊7）１９９０年代のフランス国民戦線の台頭について――⓫**『子どもたちの時間』**所収**「戦後思想と戦後教育」**（230頁～）

ようなものとして登場して決められたセレモニーだけをやって帰っていく。それでこそ象徴なわけです。

ところが実際には、災害が起きると被災地を回ったりしています。あれは天皇個人の意思です。それをやってくださいということは法律のどこにも書いていない。「天皇は国民に信頼される天皇でありつづけなければならない。そのためには国民の痛みや苦しみを絶えず共有する天皇でありつづける。そのことによって象徴である」というわけです。だけどこれは、厳密に言うと象徴天皇制から逸脱しているのです。

だから厳密な天皇制支持者の一部からは、以前から、被災地を回るという行為も危ないのではないかという意見がありました。これは見方によっては復興がすすんでいないことに対する一種の批判行為ととられかねない。何らかのかたちで意思表示をしていると思われると天皇制の根幹が崩れるということです。戦争犠牲者の慰霊というのもそうで、ここなどではかなり踏み込んで「平和を愛し」などと言う。これも「戦争をやってはいけない」という政治的発言をしているとみられかねない、と。そういう意見もあることはありました。

かといって、国会の開会や内閣の任命を物言わぬかたちでやっているだけの天皇だったら、それは必要なのかという話になってくる。つまり象徴天皇制は、国民の支持を取り付けなければ天皇制を維持できないが、しかしそれは象徴から逸脱する、という矛盾を抱えているのです。だから象徴天皇制は本来成立しえない。

行き詰まる国民統合

そうすると、人間としての天皇という「人間天皇制」にすっきり切り替えてしまわないといけないことになります。ところが人間天皇制だと「同じ人間のなかからなぜあの人を天皇として選ぶのか」という根拠を示さなければならなくなります。その場合、特殊な契約をした人間であるという位置づけをするしかない。ヨーロッパ王制などは契約王朝で、「これこれの役目をはたすかぎり王様である」と、そういう一種の契約で王制を維持しています。その方向へもっていくしかない。しかし、契約ということになると、どういう契約をするかというのが難しいうえに、「あの人でなければならない」という論拠を示さないといけない。しかも子どもが跡取りになるというと、なぜ女はダメかという話に当然なる。人間ならば男女平等なわけだから、天皇が男性だけというのは不平等ではないか、差別ではないかという話になる。

だから、男性優先を維持しようとすれば、「天皇は人間ではなく、超然としたものだ」という立場をとるしかありません。しかし一方で人間宣言がある。戦後天皇制のもっている矛盾のようなものが、ここにきてさらけだされてしまった格好です。

明治天皇制にも同じような矛盾がありました。欧米型近代の仕組みを導入したけれども、そこに国民を統合していくものがない。だから天皇制が統合軸になるようなかたちで戦前の日本をつくった。明治天皇の場合は国の絶対最高責任者みたいなもので、その根拠を現人神《あらひとがみ》であるというところに求めました。でも、実際に政治体制ができあがっていくと、憲法上は絶対権力者でもそれを維持することは無理で、政治の実権は政治家とか軍部とか、そういったものが握っていく。天皇はそれをみてよほどのことがあれば一言小言を言うぐらいになってしまうし、それもだんだん無視される。政治の追認機関みたいなものになっていった。戦後とは違うかたちなのだけれども、一種の象徴天皇制みたいなものに途中から移行しているのです。

それを戦後は、アメリカの意向もあって人間宣言をし、現人神ではない、象徴だとはっきりさせたのですけど、その象徴天皇制自身がもっている自己矛盾がここにきてでてきてしまった。天皇制を支持する、しないは別問題として、天皇制を存続させようとするなら「人間天皇契約制」みたいなものに切り替えていかなければもう無理でしょう。

でも、そうすると日本を統合するものがない。保守系としてはそこを常に危惧する。だから、「日本を統合するものは日本文化である」とか、あるいは「日本語が日本の人たちをつないでいるのだ」とかいう方向にもっていかなければならないわけです。けれど、それをやろうとすると「沖縄はそこに入るのか」という話がでてきてしまう。それから、日本の文化とかそういうものを壊しつづけたのは明治以降の政府なわけです。壊しつづけて近代化をやってきた。いまの政治の方向性もその延長にあるから、日本文化とかそういうものに日本のアイデンティティを求めていくというのは、じつはできないのです。だから結局、天皇制しかないという話になる。しかしそれももう矛盾だらけで、いまはにっちもさっちもいかないように思います。

近代理念が未来を提示できなくなった

近代史においてはこの天皇制と同じような機能を、「普遍的な価値」がはたしてきました。日本の場合は天皇制という普遍的な価値を全面にだすことによって国民統合を図ろうとした。フランスなどでは「自由・平等・友愛」という理念を国民統合の旗印にしている。イギリスでは「世界で最古の議会制民主主義を生んだ国」とかそういうものを使っている。欧米諸国でいえば、こうした「普遍的価値を共有する我々」というところに欧米的アイデンティティを置いたわけです。同時に、それはそれに反する者たちへの弾圧を肯定する論拠としても使われ、結局支配の道具となってきました。そういう意味では天皇制とあまり変わらないのです。

そういうことのもつ一種の化けの皮みたいなものが、先進国が富を独占できなくなってきたことによって、露《あらわ》になってきました。日本で象徴天皇制をやっていけるのかどうか、というのと同じように、いろんな国の国民支配統合のアイデンティティみたいなものが崩壊の時期を迎えています。だからこそ、アメリカの分解もすすんでくるし、ＥＵも分解していくでしょうし、世界はこれまでの秩序を維持できなくなる時代に移ってきた。

近代の理念や近代的政治システム、社会システム等々が未来を提示できなくなった。それがいまの状況であり、だからどこに向かったらいいのかということをめぐって、世界はだんだん分解と混乱を深めていく。そういう時期にきているのだろうと思います（＊８）。

（＊８）「理想の秩序の創造が人間を解放するのか、それとも現実の秩序を破壊していく自由が、新しい社会をつくりだすのか」⑫**『貨幣の思想史』**（223頁）

第2講　未来への構想力と伝統回帰

現在のさまざまな伝統回帰

宗教離れが進行？

これからの社会のあり方を一言で言えといわれたら「伝統回帰の時代」だと考えています。いま、生長の家とかＰＬ教といったいわゆる新興宗教が、どこも信者が激減しています。生長の家は一時期、公称２５０万～３００万の信者がいると言っていましたが、いまは公称50万人ぐらいです。ＰＬ教も、信者が激減したためにＰＬ学園高校が定員割れで経営難になり、甲子園で有名だった野球部を廃止したほどです。

曹洞宗とか浄土真宗といった古くからの教団も檀家数が激減していて、特に田舎のお寺さんは相当ピンチになっています。墓だけは田舎に置いていた檀家さんも、墓を撤去して自分の住んでいる都市部の霊園などに移したいと言いはじめた。お寺によっては檀家抜け料というのを１００万円ぐらい要求したりしているようですけど、けっこうトラブルになっています。

じつは広がっている自然信仰

そこだけをみると、「日本人の宗教離れ」という話になっていきます。でも、最近あるところで生長の家のいまのトップがインタビューを受けていました。彼は信者の激減について聞かれ、「構いません」と言っていたのです。「信者は減っているのだが、日本人の信仰心はむしろふえている。自然信仰などはむしろ復活していて、人びとのなんとはない信仰心は逆にいま若い人たちに広まってきている。これは本来の日本の姿なので、信者が減ったからといって私たちは困っていない。教団の運営上はいろいろ問題があるが、いま日本の社会はむしろよい方向に向かっていると認識している」という話でした。

これはよいところをちゃんとみていると僕は感じます。いまは本当にそういう状況で、いわゆる宗教団体が勢力を低下させていることは事実なのですけれど、その一方において自然信仰とか山の神信仰とか水の神信仰といったかたちのもの、つまり宗教以前のかたちのものに関心を抱く人たちがけっこうふえてきているのです。

自然信仰の一種の宗教的なかたちとしては、修験道がそういう雰囲気を一番もっているのですが、修験道は宗教ではありません。僕は修験道関係の人とけっこう付き合いがあるのですけれど、別に「入れ」とも言われませんし。もともと修験道はお寺をもっていても檀家はもっていない。だから檀家として加わる場所がない。修験道系のお寺にお墓がある場合もありますけど、納骨するお墓ではなくて、修験道をやっている人たちが「どうしてもここに石碑を建てさせてくれ」ということがあるのでお寺が許しているといったかたちで、檀家墓ではありません。もともとそういうものなので、宗教とか教団とかいうものとは違う。ひとつの自然信仰であり山岳信仰であり、自然に戻りたいという人間たちの気持ちに支えられているものです。

こういうものがいまじわじわと復活しています。僕の周りにも山に行って修行をする人がぽつぽついます。でも、それをしたからといって宗教に入ったわけではない。そんなこともふくめ、いろいろなかたちで、なんとなく信仰の世界に一種の伝統回帰がはじまっているような気がします。日々の生活のなかで何かに手を合わせたりする、そういうことを大事にするのですが、特定教団に入信するかというとそんな気はまったくないという、そんな感じです。

「宗教」や「信仰」という言葉は、明治の翻訳言語として成立した言葉なので、江戸時代までの日本には宗教も信仰もなかったといって構わない。もちろん仏教はあったし、神様はいっぱいいるのですが、それは明治以降に我々が呼んでいる「宗教」とは違う、生活のなかに自然に入り込んだものです。ごはんを食べるときに「いただきます」、食べ終わると「ごちそうさまでした」と言うような、あれに近いものです。「いただきます」「ごちそうさま」も自分に生命を与えてくれたものへの感謝の意を表わしているもので、何々教と呼ばれるものではない。

そういうふうに、かつては生活のなかでいろいろな思いや願い、祈りがあった。

山の神信仰などもそうで、山のほうに住んでいれば、日々の生活や労働のなかに山の神への祈りがあった。本当は「山の神信仰」ではないし、まして「山の神宗教」ではないわけです。ただ、いまこういうことを言おうとすると「信仰」という言葉を使わざるをえないので、一応「山の神信仰」と言ってはいますけど、何かの信仰に入るというのとはまったく違います。

明治以前の日本の仏教とか神様は、自分たちの生活のなかにあった祈りのようなものにすぎないのであって、「宗教」とか「信仰」というように分離独立できるようなものではなかった。いまもそういう雰囲気は農山村に行けば若干残っています。そういう時代への回帰がどこかではじまっているように感ずるのです。教団としては辛い時代に入ってきたのでしょうけれど。

コミュニティづくりも伝統回帰

いまの社会はじわじわといろいろなかたちで伝統回帰しはじめています。日本中でいま「共同体」とか「コミュニティをつくろう」と言われている。都市部でもしょっちゅう言われていますけれど、これも伝統回帰です。なぜならば昔の人たちは皆、コミュニティとともに暮らしていたのですから。

僕は「コミュニティ」＝「共同体」という使い方をしています。「共同体」というとなんとなく古いものを指し、コミュニティというと現代的な雰囲気がしますけれど、もともと「共同体」という言葉も「コミュニティ」を翻訳するためにつくった言葉で、日本語に古くからあった言葉ではありません。江戸期に「共同体」と言っても通じない。江戸期でそれを指すとしたら「うちの村」とか「うちの町」というだけです。

いまこういうものを志向する動きは、うまくいっているかどうかは別としていろいろなところにあります。農山村でもこれから地域をどうつくっていくかとなると、こちらはまだコミュニティ的なものが残っているので、そういうものを意識しながら地域づくりをしようという時代に移ってきました。これもやはり伝統回帰だろうという気がします。

韓国のエコビレッジ構想

最近、韓国の潭陽《タミャン》郡というところに行きました。韓国の半島の南のはずれに近いところです。韓国で共同体づくりの活動をしている人びとから「日本と韓国でコミュニティづくりの成果を持ち寄って協力し合えないだろうか」という申し入れがあって、僕も「それはおもしろそうだから、やろう」となったのです。韓国側はコミュニティづくりを実際にやっている人とそれを応援している研究者や行政の人も入って委員会のようなものをつくっています。日本側も同じような組織をつくり、持続的に活動しようという話になっています。2016年5月にソウルで第1回目のシンポジウムをやり、今年は潭陽郡の人が富山県南砺市に来ます。韓国側は気合が入っていて、32人来ると言っています。潭陽郡の中心部はけっこう大きな、小都市ぐらいの規模の町なのですけど、周辺は農山村というような場所で、面積的にはかなり広大です。済州島《チェジュ》とならぶ韓国の有機農業の中心地でもあって、韓国国内の米の品評会ではここ何年もずっと潭陽郡の米が1位になっているという、おいしい米の産地です。

潭陽郡ではこれからの方向性として「エコビレッジ」づくりを考えています。「エコビレッジ」というのは、環境に負担を与えないというだけではなくて、自然条件や地域資源を上手に使いながら持続的な地域社会をつくるということです。持続性のある地域をつくろうとすると、コミュニティをどうつくるかがひとつの柱となる。もうひとつは、自然に負荷を与えない経済体制や社会体制をつくること。そういう方向を、官民一体でやろうとしています。

潭陽郡と連携をとれる日本の場所として、僕のいる上野村でもよいのですけど、潭陽郡の規模からすると上野村ははるかに小さい一山村にすぎないので、もう少し広域的に考えている場所として富山の南砺市がよいのでは、となりました。南砺市の場合は水田の用水路網がたくさんあって、それを使ってマイクロ発電をしようとか、五箇山の世界遺産も活かしながら全体としてエコビレッジをつくろうとしているので、広さもふくめて潭陽郡には南砺市のほうが釣り合いがよいような感じです。

急激な近代化がもたらしたひずみのなかで

韓国は、1965年に日韓基本条約が結ばれ、日本がある意味では植民地賠償のようなかたちでお金を支払い、そのお金をもとにして経済開発がはじまりました。つまり日本の明治20（1887）年ぐらいのことを1960年代にはじめたのです。それ以降急激に現在の日本と同じような状態になってきました。ところが急激におこなうのにはやはり無理があって、ひずみがいろいろなところにでてきています。いまそのひずみが大問題になっています。

ソウルは特別市、日本でいうと東京23区のようなものです。その周辺にも都市が広がっているから、日本の首都圏のような感じです。そのソウル圏にいま、韓国の人口の5割強がいる。しかも短期間に人口集中したから、当然さまざまな問題が起こる。一方で地方はガタガタになっている。

とにかく短期間に成果をだそうというやり方をしたので、なんでも猛烈に急いで競争する。そのひずみのひとつが、日本以上に猛烈な受験戦争です（＊9）。よく韓国の大学入試の様子を日本のニュースでもやっていますけれど、それは大学入試だけではなくて小学校から猛烈に競わせていくようなことになっています。そこから脱落していく子どもも当然ながらでてきます。学校に行くのが嫌になる子どももいるし、親が「もうあんな学校には行かせたくない」となる場合もある。「受験のためだけではなく、もう少しまともなことを教えてくれる学校に行かせたい」と。結果的には不登校が大量にいます。

その不登校の子どもたちが行くところがないから、コミュニティ運動をやっている人たちがフリースクールをつくってきました。日本の塾みたいなものだと思ってもらえばいいのですが、ソウルなどはフリースクールがいっぱいあります。郊外のフリースクールなどはなかなかよい教育をやっています。たいていは少し農園をもっていて、農業をしながら考えるとか、その農業指導に地域の農家のおじいさんに来てもらって話を聞きながら塾をやるとか、またフリースクールに地域のいろんな人が集まれるようにして、いろんな話を聞きながら勉強するとか、教育のやり方としてはなかなか魅力的です。

でも、フリースクールを出ても、「小学校中退」とかになってしまう。これではいろいろと差し障りがあるので、韓国では小学校卒業認定試験制度というのをつくりました。一般の小学校をでていなくても認定試験に合格すれば小学校卒業と認められるかたちです。中学校につい

（＊9）「人間と人間が、つまらないこと、ささいなことで競争しあう社会は嫌だと思う。いまの試験なんて、ポケットのなかに百円入っているか九十円入っているかで、どっちが金持ちかを争っているようなものだもの」❹『**哲学の冒険**』（148頁）

ても同様の卒業認定試験制度ができました。それで小学校中退とか中学校中退を食い止めているかたちになっています。ただ、最終的には大学まで行くとすると、フリースクールの子どもは皆けっこういい大学に入るそうです。というのは、そうやって子どものときからいろんな人の話を聞いたり考えたりする教育をやっていますから。高校生くらいになって「やっぱり大学へ行かないとまずいかな」と思って受験勉強をはじめると、あっという間に追いついてしまって受験もクリアする、ということが多いみたいです。そういうことで、フリースクールもけっこうよいものではあるのですけど、しかしひずみであることには違いない。そういうことがいたるところにあります。

僕がついていけないと感じるのは、日本でもいま、人が亡くなったときに家で葬儀をする人がだんだん減って、葬祭場でやる人がふえてきていますが、韓国でも同じで、田舎ではどうかわかりませんけど、ソウルなどでは皆葬儀場でやっています。その葬儀場の経営者が病院なのです。病院の玄関のわきに葬儀場がある。これは便利といえば極端に便利ですけど、日本ではちょっと受け入れがたい気がする。でも韓国ではそれが普通になっています。

急速にソウルに人を集めたので、当然お墓も足りない。韓国には「墓マンション」というのがあります。マンションのなかが小さく区分けされて、その1区画が一人のお墓となる。10階建てのマンションのなかが全部お墓、というのもあります。日本にも納骨堂はありますけれど、墓マンションはない。そういうこともふくめて、急激な都市化がいろんな問題をつくっている。

そういうなかで日本以上に格差が広がっています。都市内の貧困層は生活も大変な状況で、だからコミュニティづくりの活動現場はたいていフリースクールをもっていて、さらに共同作業場のような仕事場づくり、みんなが集まる場づくりもやっている。地方では潭陽郡のようにエコビレッジをつくろうという方向にいったり、いろんなかたちがある。韓国も近代化のひずみを抱えているし、日本もまた同様な状況がいたるところにあるので、お互いに問題点と成果を出し合って協力関係を結ぼうということになりました。

こういうのをみると、韓国もやはり伝統回帰の時代に入ってきたと思います。急激な近代化で急激に問題が起きてくる。そうするともう一度、コミュニティをつくり直そうとかエコビレッジをつくろうという動きが起きる。どちらにしても伝統回帰の時代に移ってきた感じがします。いまは世界中で一種の伝統回帰がある。政治的な伝統回帰ではなく、人間たちの生き方としての伝統回帰みたいなものが進行しているのがいまの時代ではないかと思います。

都市で進むソーシャル・ビジネスの動き

韓国でも日本でも、ソーシャル・ビジネス的な動きがそこらじゅうに広がっています。「ソーシャル・ビジネス」をどう訳すかというと少し悩むのですけど、「よりよい社会をつくるための経済活動」とでも訳しておくのが一番内容には合っているのではないかと思います。そのまま訳すと「社会的企業」となるのですけれど、そうすると企業はどこも社会的企業だとも言えることになってしまうので。ソーシャル・ビジネスの動きも一種の伝統回帰だと思っています。なぜかというと、人びとの経済活動とはもともとこういうものだったからです。もっとよい社会をつくろうとして経済活動をしていたわけで、それがいつの間にか「もっとよい社会」を忘れてしまって、ただ儲けるだけのための経済活動に移ってしまい、儲けを焦っているうちにめちゃくちゃなことになってしまった。だからいまのソーシャル・ビジネスの動きというのは、「もう一度原点に回帰しよう」「よりよい社会をつくるためにはどういう経済をつくったらよいか」という動きなのです。

この動きはけっこう広がっていて、ソーシャル・ビジネスと意識してやっている人たちもいるけれど、意識しないでやっている人たちもいます。僕が住んでいる文京区も、町の形成は古くて、昔からの自分のところで焼いているお煎餅屋さんとか、そういう商店が残っていました。それが30～40年ぐらい前だと、どこの家にも跡取りがいない。少しだけ残っていた町の職人さんも跡取りがいない。だからこのままいくと、いずれ昔からの店や職人さんは全部消えてしまうだろうという雰囲気でした。ところが、いまはどこにいっても跡取りがいるようになりました。それは一面では、会社員が魅力的ではなくなったという時代を反映しているのですが。

僕の家の近くに豆屋さんがあって、そこは自分の家で豆を煎ったりして売っている、非常に古い木造の家で、昔からあった商店の雰囲気なのですけれど、その家もいまは跡取りがいます。長男が、都内の大学を卒業すると同時に真っ直ぐに戻ってきた。もう結婚もして次の跡取りの赤ん坊もいます。この家も地域とともに生きる、技とともに生きるといったことには関心が高いようです。

それと、うちの近くには最近新しい店もけっこうできていて、そのなかで一番多いのはレストランや洋菓子店なのですけれど、最近は八百屋や魚屋もできています。それらは皆、若い人たちがやっています。レストランなどでも、一昔前だと、うちのあたりに店を開いても、成功するとその店は畳んで銀座とか青山みたいな一等地に行こうとした。それで成功するとチェーン展開したりする。ところがいまはそういうタイプは皆無です。生活できる程度の利益があがればよい、それよりも地域の人たちが喜んで来てくれるような店をつくりたい、といった感じです。

本人たちがソーシャル・ビジネスと思っているわけではないですけれど、これも一種のソーシャル・ビジネスです。地域のコミュニティのなかに自分の店がありつづける、そういうことをめざしている。だからほんのポツポツではあるけれど、八百屋とか魚屋をはじめる若者もいる。それも本当に地域の人のためで、地域の人と一緒に歩むことが自分の楽しみでもあるといった、そういう人たちも登場しはじめている。正式に「私はソーシャル・ビジネスをやっています」といった考え方の人もいるけれど、別にそう意識していない人たちでも、地域に役立つ店でありつづけたい、というようなことをなんとなく自覚している。だから、いろいろな意味でのソーシャル・ビジネスの厚みがでてきた。ソーシャル・ビジネスの動きがではじめた頃は、思想的にガッチリ固まっている人がやる感じでしたけど、いまはもっと幅広く緩やかにそういう分野に参入してくる、そういう時代に移ってきたと感じます。こういうことも「なんとはない伝統回帰」と言ってもよいのではないかと考えています（＊10）。

上野村の伝統回帰について

地域エネルギーに戻る

僕の村でも同じで、上野村は地域エネルギーで暮らせる村に戻りたいと思っています。上野村の人口は１３００人なので、１３００人分のエネルギーをつくればよい。これはやろうと思えばすごくやりやすい。まだ完全ではないですけど、山の手入れをして木を切り出し、材として使えるものは製材をし、使えないものは――特にうちの村では広葉樹の手入れもしているので、広葉樹は曲がっていたりするので使えない部分もでます。だいたい年間9000立米ぐらい木を運び出していて、そのうち5000立米ぐらいは材として使えない――この5000立米を木質系ペレットに変えます。これを農業用ボイラー燃料や冬の暖房用に使うのですけれど、6割以上はペレット発電に使っています。いまペレット発電は流行っていて、各地ではじめていますけれど、民間業者がやるのはあまりよくないものが多い。採算が合うかたちで経営しようとするので、発電規模が大きいのです。上野村の発電は180キロワットで、いまの村の電力消費量の20％ぐらいが賄えるので、これでいいのではないかとみています。民間業者がやっているもので一番大きいのは1万キロワットというのもありますけど、そうするとペレット発電機を回すために山の木を切る、といったことが起きる。これでは本末転倒です。うちの村ではあくまで森の手入れをした結果利用できないものを使って発電するかたちです。

うちの村はまだ森林組合の作業班が活発に活動しています。実際に作業しているのは25人ぐらいで、100％Iターンです。村でもとから木を切ってきた人たちは、作業班が難しい木を

(＊10)「若い林業家［たちは、］森のなかで働き、森と結ばれて暮らす新しい「豊かさ」を……求めている」

❿『森にかよう道』(253頁)

切るときなどに指導に行ったり、特殊伐採をしたりしています。特殊伐採というのはどんな仕事かというと、たとえば神社やお寺の境内の木が大きくなって危険なので切らなければならなくなったとします。このとき倒す場所がないと、下手をすると社や寺の本堂の上に倒れるかもしれない。こういうときには「吊し切り」をします(*11)。人が樹上に登り、木を重機やロープで上から吊りながら少しずつ切る。実際にやるのは大変で、東京だと木1本切るのに30万円ぐらいかかるときがあります。何日もかかるし、2人1組でやるし、東京では特殊伐採ができる人はあまりいないので、遠隔地から泊まり込みでやってもらうことになるので高いのです。村のベテランたちはそっちの仕事のほうが忙しい。村の山で普通に間伐しているのはIターン者ばかりですが、持続性のある森林組合になっています。

隣村は森林組合の人がいなくなり、間伐もできなくなっているので、頼まれてそちらの間伐もやっています。上野村だけだと9000立米ぐらいですけれど、隣村と合わせるといま1万5000立米ぐらい切っています。ただ、隣村の人たちは、上野村がやってくれるということでその村の森林作業をする村人はますます減っていく傾向にあります。これでは隣村の林業を衰退させていることになる。基本的には自分の村だけでやろうと思っていたのですけれど、周辺の村もやるとマイナスの問題もでてきた。このあたりはこれから考えながらやるしかないだろうと思います。

現在上野村がすすめていること、これも伝統回帰です。昔の人は地域エネルギーで暮らしていた。上野村は山村なので地域エネルギーの基本は薪だった。だから薪で暮らす村に戻そうということです。ただ、いまは電気は必需品だし、薪以上に熱効率がよくて便利なペレットストーブなどがあるので、薪利用の変形として今日の技術を使おうとしているのです。でも基本的な考え方としては昔に戻ろうとしている。だから新しい村づくりではありません。せっかく目の前に資源がたくさんあるのにそれをまったく使わず、いつの間にか外から電気や石油を買うことになっていたのを、元に戻したいということなのです。

これでもうひとつ、小水力発電がうまくいくと完全に自給できるのではないかと思っています。ただ河川管理権を国交省がもっているので、国交省との交渉が難航していますけど、いずれやりたいと思っています。

ただし、伝統回帰というのがエネルギーの問題だけではダメなのです。村を持続させるために、村の森を負担をかけずに有効利用する。その方法としてペレットをつくったりといろんなことがでてくるだけのことで、同じように村を持続させようとするとどうしてもふたつの労働

（＊11）上野村の村人、猪佐男さんの仕事ぶりと吊し切りの技――⑬『**里の在処**』（166～173頁）

体系をしっかりつくっておかなければならないのです。

経済発展こそが地域を衰退させた

よく「この地域は経済発展から取り残されたから衰退した」と言う市町村長がいますけれど、僕はあれはまったく嘘だと思っています。どこの田舎だって経済発展はしました。「東京の家には電気製品も車もあるが、田舎には電気製品も車もない」というような状況ならば「地方は経済発展から取り残された」と言えるでしょう。でも、いまや田舎にいけばいくほど車はたくさんあるし、電気製品が揃っていない家なんて探すほうが大変です。つまりどこの地域でも経済発展はしたのです。子どもが大学へ行きたいと言ったら少々無理をすれば行かせられるような家が大半です。その程度には経済発展をした。ところが経済発展をした結果として地方が衰退した。こう考えなければいけない（＊12）。「経済発展から取り残されたから衰退した」わけではない。「どういう経済が発展すれば地域の衰退を招かないのか」、そのことを考えなければいけない。

東京はある意味では最も経済発展した場所であると言えますけど、地域としてはむちゃくちゃに衰退している。お金が回らなくなるとたちまちみんな破綻するような社会をつくってしまっているのですから。予定どおりいかなくなったときにその危機の深さがみえてきます。た

郵便はがき

1078668

おそれいります
が切手をはって
お出し下さい

（受取人）
東京都港区
赤坂郵便局
私書箱第十五号

農文協
http://www.ruralnet.or.jp/
読者カード係 行

◎ このカードは当会の今後の刊行計画及び、新刊等の案内に役だたせていただきたいと思います。　はじめての方は○印を（　）

ご住所　　（〒　　－　　） TEL： FAX：	
お名前　　男・女　　歳	
E-mail：	
ご職業　公務員・会社員・自営業・自由業・主婦・農漁業・教職員（大学・短大・高校・中学・小学・他）研究生・学生・団体職員・その他（　　）	
お勤め先・学校名	日頃ご覧の新聞・雑誌名

※この葉書にお書きいただいた個人情報は、新刊案内や見本誌送付、ご注文品の配送、確認等の連絡のために使用し、その目的以外での利用はいたしません。

- ご感想をインターネット等で紹介させていただく場合がございます。ご了承下さい。
- 送料無料・農文協以外の書籍も注文できる会員制通販書店「田舎の本屋さん」入会募集中！ 案内進呈します。　希望□

■毎月抽選で10名様に見本誌を１冊進呈■（ご希望の雑誌名ひとつに○を）

①現代農業　②季刊 地 域　③うかたま

お客様コード □□□□□□□□□□

17.12

お買上げの本

■ご購入いただいた書店（　　　　　　　　　　書店）

●本書についてご感想など

●今後の出版物についてのご希望など

この本をお求めの動機	広告を見て（紙・誌名）	書店で見て	書評を見て（紙・誌名）	インターネットを見て	知人・先生のすすめで	図書館で見て

◇新規注文書◇　郵送ご希望の場合、送料をご負担いただきます。

購入希望の図書がありましたら、下記へご記入下さい。お支払いはCVS・郵便振替でお願いします。

（書名）	（定価）¥	（部数）　部
（書名）	（定価）¥	（部数）　部

とえば東京で直下型大地震が起きると、危機になり予定どおりにはいかない。そうすると東京のもっている地域社会の危機の深さがたちまち露呈してきます。お金が回っている間はみえにくくなっているのですけど、お金が回らなくなったりあるいは大災害が起きたりすると、ピンチ極まりない社会が東京だと言えます。

経済発展は、地方であれ大都市であれ、どちらも社会とか地域という点では衰退させたのだと思ったほうがよいでしょう。たとえば大阪のあるマンションでは、「居住者どうしが顔を合わせたときに挨拶をしない」という取り決めをしたそうです。「挨拶が負担になる」という住民がいて、管理組合で議論した結果、「挨拶をしない」という取り決めをした。こんなことを取り決めなければいけないのだろうか。決めるんだったらむしろ「挨拶をしましょう」という取り決めではないかと思うのですけれど、そういうことがまかり通ってしまう。それぐらい劣化しているということです。

（＊12）「テレビ……と自動車……と引き替えに村の失ったものは大きかった」❷**『山里の釣りから』**（114頁）「労働時間を基準にした価値の創造……その結果は、農村社会の分解と農業の衰退をもたらしただけだったのです」⓫**『子どもたちの時間』**（114頁）

地域の労働体系をつくる

だから、やるべきことは経済発展ではない。では何なのかといえば、上野村について言うならば「労働体系をしっかりする（＊13）」ということです。どういう労働体系があれば持続するか。上野村は森林が96％もあるけれど、畑はほとんどない。水田は1枚もない。そういう村ですから、森林を有効活用できないと持続できない。だから森林を軸に置いてどういう労働体系をつくりあげるか。そこで、山のなかで働いている人もいるし、製材している人もいるし、広葉樹材を使って木工製品をつくっている人もペレットをつくっている人もいます。あと、うちの村で大きいのは、コナラとかミズナラをオガクズ化して菌床をつくり、キノコを栽培する、そういう労働もあります。キノコは4億円ほども売り上げているので、うちの村では一大基幹産業となっています。一部のそのままで出荷できない規格外のキノコは加工品にする――キノコドレッシングなんてものもつくっています――。こんなかたちもふくめて村の労働体系をつくっています。

もうひとつは、森があって昔の雰囲気を残している村ということで、それが観光資源にもなっている。上野村は一昨年で観光客数は延べ21万なので、けっこう観光客は多い。開発されていなくて昔の雰囲気を残しているからよいといって来てくれる人たちなので、リピーター率も高い。100万人にしようとは思っていなくて、ある程度の客数で推移してくれるとよいと思います。そこでまた観光部門で働く人たちもでてきます。

こういうふうな村の労働体系をどうつくるかであって、先に経済ではない。先に労働である。ただしその労働は、慢性赤字では持続性を失うことは確かですから、次に黒字化するためにはどうするか工夫する。全部門を黒字にするのが理想ではあって、どの事業部門も黒字化をめざしてはいるのですけど、そう言いつつも村の考え方としては全体で赤字になっていなければよいと。過度に赤字をなくそうとしてつまらない合理化をしたり、結論を急いで事業をダメにしたりしては元も子もないので、努力して黒字化してほしいと言いつつも、全体としてまあまあな状態ならばよいのではないかという、微妙なバランスでやっています。

村の労働体系としては他にも、田舎ならどこでもある「結《ゆ》い」的な労働もあって、お互いに作業の応援に行くようないろいろなことが日々おこなわれています。こちらの労働体系もしっかりしていなければいけません。祭りができなくなったとか、消防団に入る人がいなくなった

（＊13）山村の基軸的な労働形態について――❷**『山里の釣りから』**（156頁〜）「自然を、一年をとおして上手に利用すること、それが村の労働の基本でした」⓫**『子どもたちの時間』**（101頁）「「労働の系」としての経済の再構築」⓯**『共同体の基礎理論』**（203頁〜）

とかでは地域はダメになってしまうので、こちらは永遠に黒字になるはずがない部門ですけれど、村を支えていくうえでは重要な労働です。そのふたつの労働体系を車の両輪みたいにしながら持続性のある村をつくっていくという方向でやっています。

村全体でソーシャル・ビジネス

2〜3年前に村に移住してきた人の言葉を引いて、「上野村は村全体で社会的企業である」というのが上野村のパンフレットに載っています。村全体としてソーシャル・ビジネスだというわけで、まさに村の持続を目的として、皆でいろんなことを分担して生きていく社会だという意味合いです。そうなると、持続性を確保するためには村の自然を荒らしてはいけないし、極端な負担を与えてもいけないわけで、村の自然と調和できる労働体系をつくっていかなければいけない。いまそんなふうに整理しています。

このかたちもまたひとつの伝統回帰と思ってよいです。特に山間地域は水田をほとんどもたないか、もっていても自分の家で食べる分がせいぜいですから、そういう地域では地域全体のつながりのなかでいろんなものをつくって維持していかなければならない。いまは水田1ヘクタールぐらいあってもこれでは生活はしていけないという時代になっていますけれど、もともとの日本社会では水田1ヘクタールももっていたらかなりしっかりとした基盤があったことになります。東北などでは冬場は農業ができないので２ヘクタールぐらい必要だったかもしれませんが、少なくともそれぐらいあれば都市に行って丁稚奉公するよりずっと安定した基盤でした。そういう時代が長くつづきました。そういうところでは「自分の農業」をしっかりもっていればやっていけたのですけれど、山間地域では水田に当たるものがない。山を活用しようとしても森林の伐採とか搬出は一人ではできません。それに山に入るには道が必要だけれども、これもまた一人ではつくれない。だから、「全体でどう生きるのか」という発想が山間地域では強かった。そのことを、いま上野村は「社会的企業」という言い方をしたり「村の労働体系をどうつくるか」と考えたりしているだけで、考え方の基本は伝統回帰なのです。

ただ伝統回帰というのは、昔のかたちに戻ることではありません。伝統的な地域のかたちに戻すためには、かえって新しい方法を使うということが必要になります。単純に昔のかたちに戻るだけだったら、昔は電気などなかったのだから電気なしで暮らせばいいとか、そういうことになってしまいます。でもいまは、電気のない生活は、よほどの趣味人か思想的に固まっている人しかありえない。普通に暮らそうとすると電気は必要な時代になっています。だから昔のエネルギーの使い方を応用して発電するとか考えていく。新しい技術とか方法を使いながら昔の仕組みに戻していく。それが伝統回帰だと思えばよいのではないかと思います。

農村の伝統回帰とは何か

「百姓」の世界へ

僕の村は山村ですけど、農村の伝統回帰とは何か。やはり地域の自然とともに生きていくというのが農村の伝統回帰の姿でしょうし、「農民」という概念から「百姓」に戻っていくというのがひとつの伝統回帰だろうという気がします。百姓というのは言葉としては「いろんな仕事をしながら生きている人」という意味ですけれど、そうすると農業をやっていても多品種をつくることもありうるし、一部のものを加工することもありうるし、また直販をしている人だったら農業をしながら一種の販売業をしているとも言えます。そういう意味での「百姓」もありえます。それから、条件とか個人の考え方にもよりますけれど、焼き物を焼いたり木工品をつくったりしながら農業をするという「百姓」の形態もありうる。ある程度どこかに勤めながら農業をする、兼業農家のかたちでもいいわけです。多様な百姓のかたちがいまはありうるのですけれど、やはりどこかで百姓に戻るというようなことをこれからは意識していくことになるだろうという気がしています。

農民が「定着民」であるとはどういうことか

もうひとつ、日本の農山村というと、すぐ「定着民の社会」という見方をしやすい。けれど、日本の農山村は、かなり移動性を内蔵した定着民の世界であったと思っています。僕の村でも、平安時代ぐらいから住んでいた家の人もいることはいるのですけれど――その頃のお墓が残っている人がいます――、そんなのごくわずかしかいません。多数派はやはり江戸期に村に来た家です。江戸の初期に来た人もいるし、幕末の頃に来た人もいます。移動しながら、移動性をもちながらも定着する社会をつくっていったという感じがします。

うちの村の超高齢世代は養子が案外多い。それは、跡取りがいなかったりした場合に、外から養子を迎えているからです。わりに近い親戚から迎えている家もあるけれど、遠くから来た人もいる。どこかで知り合って「よかったらうちの養子にならないか」という話になって来たという人もいます。

だいたい、女性たちはもともと村外から来ている人がたくさんいるのですよね。うちの村の昔の人たちでも3分の2ぐらいは村外出身、８割と言ってもいいぐらいです。「定着民」と言うけれども、実際には男についての話ではないかと思えます。女性たちは婿をもらわないかぎり生まれた家からは離れていくわけで、かなり移動していた。さらに言えば昔は二男、三男は都市へだしたりした。

そういう移動性をもちながらも、そこの地域の労働や暮らしのかたちに永遠のものを感じていく。日本の「定着」というのは、何十代にもわたって定着していたという意味ではなく、そこに自分が生きていく永遠の世界（＊14）を感じる、それを定着と感じたのでしょう。だから僕なども上野村に定着している気持ちが少しある。僕の場合、先祖は村に存在しないし、親戚も一人もいない。さらに僕の場合、東京にいたり、あちこちに出かけたりしていて、上野村にそう多くいるわけでもない。だけども上野村の営みとかそういうものに自分が生きる永遠の世界のようなものをどこかで感じている。そうすると僕自身には上野村の定着民という意識が生じてくる。つまり定着というのは、戸籍を調べて１００年住んでいるとか２００年住んでいるという話ではなくて、そこに住んでいる人たちが「ここには本当に自分の生きる永遠の世界があるんだ」ということで定着民化する。実際にはそこにいろいろな移動がふくまれているのです。

新規参入もまた伝統回帰だ

だから戦後の高度成長期に農山村地域が衰退していったのは、入って来る人がいなくなったからだと考えてよいのです。出て行く一方になったということでもあります。そうなると縮小再生産型の地域になってしまう。

良い悪いは別として、何でもそうですけど、新規参入のないものは衰退するんですよね。いま、新興宗教が衰退期に入ったというのも、新規参入がないからです。それが信者数の減少というかたちで現われてくる。ときどき小さい新興宗教は起きてくるでしょうけど、急速に勢力を伸ばすようなものが参入してこない。そうするとやはり衰退期に入ってしまう。農業でもやっぱり衰退期をつくった一番の理由は新規参入がなくなったからです。一時期は、新規参入しようとしてもよそ者扱いされたり、農業委員会が認可しないとか、壁がいっぱいあった。これではやはり衰退してくる。いまはもう否応なく遊休農地だらけになっているから「耕してくれる人がいれば入ってください」という感じですけれど。

（＊14）「山里には永遠という言葉が残っているようにみえる」❷『**山里の釣りから**』（237頁）
「時間が永遠の円環運動をしているように、労働の系もまた永遠の円環のなかにある」❾『**時間についての十二章**』（38頁）
「自分たちの労働の場所でもある自然と、自分たちの生活の場である村という人間の社会を、継承し、永遠の循環のなかにおいておくことが、村の暮らしと労働の出発点なのです」⓫『**子どもたちの時間**』（58頁）
「永遠。確かにここには毎年春が還ってきて、また去っていく永遠の時空がある」「人間と自然とさまざまな神々。皆んなが一緒に、永遠に暮らしていく里が山里である」⓭『**里の在処**』（79、137頁）

新規参入があると、当然ながらある程度のトラブルは発生します。事情がよくわからない人が来るとか、自分の思想が強すぎる人が来るなど、いろいろなことが起きるので。しかしそれは時間が解決しながら、永遠性を感じるという意味での定着民社会をつくっていく。それから、新規参入者が入ってくることで結果的には新しい農業のかたちができていく場合もあります。トラブルも起きるけれど新しいものも生まれてくるという躍動性みたいなものがなければ、どうしてもその分野は衰退します。

いま、農業以上に林業がピンチなのは、林業の新規参入って本当に難しいんですよね。森林組合の作業班に入るといったかたちで、林業労働者として新規参入することはできます。けれど自分の山をもって専業で林業経営をするとなると、森にどういう木があるかにもよりますけど、500ヘクタールくらいが経営規模の最低ラインです。そうすると仮に1ヘクタール100万円で買っても5億円、半値でも2億5000万円。これでは若者の新規参入なんてやりようもない。だから林業はどうしても衰弱します。新しい人が入ってきて林業をやる道がないわけです。もう少し小面積で百姓型林業ができるとか、林業だけではなく他の仕事と組み合わせてやるとか、そういうかたちのものが参入してこないと本当はピンチなんですよね。

いまは農村も山村もいろいろなかたちの新規参入者が発生しはじめている時代です。僕はこれも伝統回帰と思っています。昔の農山村は移動性をもっていました。養子になるとか、上野村にもけっこう多いです。行商などで村に来ているうちに村のどこかの家と懇意になって「じゃあうちの親戚になるか」なんて具合に、まるでその家の分家のようなかたちで村に定着するとか、そういうかたちです。そういう昔のかたちとはいまは違うけれど、昔もっていた移動性がいま回復されてきたと思えばよいのだろうと思います。

外部とのつながりを回復する（＊15）

昔は農民たちは知恵を使って生きていました。知恵を使おうとすると、いろいろなかたちで外部と結びつかなければいけない。それが戦後の農政の過程で、外部と結びつかなくてもできる農業になってしまいました。たとえば最初の頃は食管制度がずっとありました。すると米さえつくっていれば必ず国が買い取ってくれるのだから、水田だけをみていればよい農家になっ

（＊15）「山村とは、都市との活発な交通によって支えられてきた地域である」❷**『山里の釣りから』**（271頁）
「上野村の森の伐採は、中《なか》津《つ》日傭《びよう》と呼ばれた［他村の］職人集団が加わることによって、はじめて可能になった」❿**『森にかよう道』**（195頁）
「村の文化は、異文化と交流することによって深められ、つくられてきたという歴史をもっている」⓭**『里の在処』**（203頁）
「日本的共同体と外部」⓯**『共同体の基礎理論』**（181頁～）

てしまう。それでも農業の知恵は働かせなければならないのですけれど、場合によっては農協の栽培暦どおりにつくればよい、というふうにもなりうる。こうなると、畑作業の知恵はあっても、大局的な自分の知恵はなくてもよくなった。外から情報を取って自分なりに判断するといったことはやらなくてもよくなってしまったのです。いまは食管法はなくなりましたけれど、農協の言うとおりにつくって農協の言うとおりに出荷するとなると、自分自身は家と農地と近所だけをみていればできる農業になっていった。いろいろなかたちで奥のほうにあった外部とのつながりを喪失させてしまった。

いま、それもまた農家は回復しはじめました。外部とのつながりをもちはじめているし、自分なりに外部からの情報も取るし、人間的な結びつきもつくる。そういう時代に移ってくる。これも戦後の農政下で失われたものを新しいかたちでいま回復しているんだと思ってよい気がします。

稲作絶対主義だったのか（＊16）

それから、日本の農業は稲作絶対主義とよく言われますけれど、本当にそうだったのでしょうか。江戸期をみると米はむしろ納税作物なんですよね。藩主はたとえばナスなんか山のようにもらってもしょうがないわけで、やはり腐らなくて値段もよい米が圧倒的に欲しかった。だから農民に対して米づくりを強要した。こういう経緯はあるけれど、農民たちはむしろ米以外のものをやりたかったというのが本当のところで、もっと収益性のよいものがあった。たとえばワタの栽培とか、山間地域などでは荒れ地でもできるアサの栽培、それからナタネ油。日本の場合は行燈《あんどん》とか天ぷらとか、いろんな油の基本がナタネ油でした。だからナタネ油は欲しがられたし、油の搾りかすも売れたので、換金作物としてはこちらのほうがずっとよかった。自分の食べる分ぐらいの野菜はそれなりにつくればよいわけで、広い農地は販売用の作物をつくる。そうすると米よりもずっと有利なものがありました。

そこで、領主は米を要求するけれど、百姓はごまかして米以外のものをつくろうとする。そのつばぜり合いのようなことが江戸期にはありました。もちろんこれには地域差があって、新潟平野などは沼地を開拓しているから米以外は難しかったりもしましたけれど。でも日本全体を見渡すと、むしろ米以外の作物を望む農民と領主との対立みたいなものがけっこうありました。

稲作絶対主義になっていくのは、むしろ戦争が一番影響しています。戦争で戦地に食料を送らなければならないときに何を送るかというと、なんといっても米がいいわけです。輸送しや

(＊16) 米主導型経済体制と雑穀類について──❷『山里の釣りから』(221頁前後)

すいということもありますし、米は水を入れて火にかければ食べられる。しかも冷えても食べられるという利点がある。戦時作物としては圧倒的に米が欲しかった。だから米の増産運動が戦争のたびに起きる。その結果、他の作物の耕作面積が減っていった。それから、アワとかヒエとかの雑穀類は人びとが食べ方を忘れていった。おいしい食べ方がわからなくなったということです。いまではアワとかヒエは健康のためとか、ある種の趣味的なぜいたく品みたいな食べ方をするというふうになってしまっています。もともとは雑穀類が主食という地域もあったはずで、当然おいしい調理法もあったのだけれど、それが社会から消えてしまったのです。

もうひとつ大きいのは、大家族制がなくなったことです。大家族制でおじいちゃんおばあちゃんも一緒、場合によってはひいおじいちゃん、ひいおばあちゃんも一緒となると、手間暇のかかる料理をつくれる人がそのなかにいた。いまのように核家族化すると、農村でも跡取りがいても建物を分離して住んでいるケースが多くなってきました。そうすると手間暇をかけた料理はできなくなる。その点からいうと米は圧倒的に有利で、なにしろ電気釜に入れてスイッチを押せばできる。そんなこともふくめて稲作絶対主義みたいなものが進行したということだと思います。

ではこれからどういう農業をしていくかというとき、いますぐ稲作をやめて他のものを、といってももちろんそう簡単にはいきません。日本の食文化がこれからどう変化していくかという問題もあります。実際、いまは主食的な食べ方でもパスタとかもふくめて小麦がすごくふえてきているし、必ずしも米中心ではなくなってきました。ひとつの問題提起としては、日本の農業はここまで稲作絶対主義だったのだろうかと。この疑問は頭の片隅に置いておいてもいいのだろうという気がします。

地域としての「百姓」へ

昔と違うのは、昔は一軒の家のなかで百姓的に、いろんなことをやっていた。ところがいまは機械化がかなりすすんでいるので設備投資にもお金がかかっています。そうするといろんなことをやろうとしても採算性がひどく悪い。昔の手と足の力でやっているときは、同じ鍬を使っていろんなことができたけれども、いまや田植え機などは田植え以外に使えない。

だからいまは、地域として「百姓化」を考えていくことが課題じゃないだろうかと思っています。それがさっき言った地域の労働体系ということです。一人ひとりは専業だけれども、地域全体としては百姓的世界がある。いまの時代、そういうかたちで伝統に回帰するということもひとつ考えておく必要があるだろうと思います。個人の農民から、地域労働体系とともに生きる農民への転換です。

そのデザインを誰がやるかですけれど、幸いにしてうちの村では人口が１３００人しかいないし、役場がすごくしっかりしているので、役場が中心になりながら地域労働体系をつくっていけます。それからうちの村の場合、住宅地がない。ということは、都市部に働きに行って夕方帰ってくるような人がいないということです。みな村のなかで生きている。だから村の持続のためにはどうしたらよいかということを共有しやすいのです。でも、現実にはほとんどの他の地域では、もっと人はたくさんいるし、農村といっても住宅地の人たちも多くて、地域労働体系などはどうでもよいという人が入ってきている。自分の家さえあればいいという人たちが。こういう難しさもいま農村は抱えています。

けれど、地域としてどういう労働体系をつくりあげたらなんとかやっていけるか、それができると地域としては百姓世界だという、そういうこともこれからデザインしていく必要がある気がしています。それが農村の伝統回帰の内容になっていくのではないかと思うのです。

未来社会のデザインは農業、農村にある

これからは何でも「戻る」という話が基本になっていくと思います。自然との関係に戻るとか、コミュニティとか共同体の世界に戻るとか、閉じられた農村ではなく、農村を軸にいろんな結びつきが成り立っている農村に戻るとか。そういう時代なのでしょう。その「戻る」こと

を現象としてみると、新しい村づくりだったり新しい農村づくりだったりしている。現在の動きはそういうことにすぎないのでしょう。

地域の自然を活かしたエコビレッジ

さっき話した韓国の潭陽《タミャン》郡に行った第一印象としては、景色があまりにも日本に似ているのにびっくりしました。小規模な水田がたくさんあって川が流れていて、ほとんど雑木林という山の雰囲気もとても似ています。景色が似ているということは自然が共通していて、人びとの営みが似ているということです。同じように平地には水田をつくっているし、水田以外の場所には狭い野菜をつくる場所があったりと、営みの仕方が似ています。その結果こんなに景色が似ているのだろうと思いました。

もっと言うと、昔、潭陽郡は百済《くだら》でした。百済は朝鮮半島の南のほうにあった国ですけど、隣には新羅《しらぎ》とか、北のほうには高句麗《こうくり》とかかなり強い国があって、百済はいつも圧迫されていた。いよいよそこにいるのが困難になったとき、大挙して日本に渡ってきた歴史があります。その人たちが稲作技術などいろいろな技術をもってきた。百済の人が日本にやって来て日本の農村社会をつくったわけだから、大もとのルーツは向こうにあった。本家は向こうなわけです。そうすると営みのつくり方も似ているわけです。百済から逃げてきた人たちと在来の日本人、縄文時代からいた人たちがどこかで融合しながら日本社会をつくってきた。そういう歴史だから、似ていて当たり前なんだなと思いました。そういう点からみても、日本の社会は移動性があったと思います。移動しながら定着民の世界をつくるというか、そういうものをもう少し考えてもいいでしょう。

滞在中、僕が一番まいったのは、向こうの人がいろんなところをみせようとして、朝6時に起きて集合というんです。朝6時というと気温がマイナス12度とか猛烈に寒い。ソウルでもそうですけど、太陽が燦々と照っていて暖かいはずなのに、気温はマイナス5度とかです。そういう寒さはあるけれど、潭陽郡は竹がたくさんあります。竹の北限に近いのでしょう。孟宗竹もあると聞いたのですけれど、僕のみる限りは真竹が一番多かった。真竹は寒さに強いですから。この竹を使って何かするということも一生懸命やっています。竹炭も当然つくっているし、竹炭を使った真っ黒な歯ブラシなどもあります。竹炭を微粉にしてコーティングしているらしいのですけど、竹炭は抗菌力があるのでいいという話でした。そういういろんな商品開発などもしているし、竹かごみたいな昔の技術の維持・復活もやっています。

なかなかうまいと思ったのは竹の葉のお茶で、これは茶摘みをやっています。竹の新芽を摘んでそれをお茶にするのです。淡い味なんですけど独特の香りがあって、うまいです。一度蒸して揉んだのか、それとも韓国の緑茶のつくり方は釜煎りなので蒸さずに釜煎りしたのか、製法をちゃんと聞いてこなかったのですけど、もしかすると日本のお茶のつくり方を導入したのかもしれません。淡いきれいな色がでるのでガラスの急須のようなものに入れてだしてくれたのですけれど、その急須をみると「手づくり」という日本語のラベルが貼ったままになっている（笑）。ガラスの急須は韓国ではつくっていないので、たぶん日本のものを買ったのだろうと言っていました。

自分たちの地域にできるものをどう活かすか。竹だけで地域社会を維持するのは難しいけれど、そういうことも一生懸命やっているし、竹林をきれいにして竹林公園をつくったりもしています。韓国では竹が珍しいので、この公園には年間50万人ぐらいの人が来るそうです。このやり方なんかも、地域社会としての百姓世界をめざしたものと言っていいと思います。それを持続性のあるエコビレッジにするにはどうしたらいいかということで、すべてがうまくいっているわけではないのでしょうけど、いろいろな試みをやっています。

発想は農村から都市へ

そういうことがこれから求められています。これからの社会をどうつくっていくかの基本的な発想はむしろ農村にあるという感じがします。都市部はもう行き詰まって発想がない。そこで農村の本来の姿をきちっと提示していくことができれば、都市部の人たちにもいろいろな参考事例がでてくる。

さっきも言ったように、若い人たちがやっているのはレストランだったりパティシエという洋菓子の世界だったりしても、基本的な考え方はむしろ古い考え方で、地域とともに生きようとしている。そこにも農村的な発想みたいなものがどこかにある。このこともよく考えてみたら、もともと日本の都市は、農村の人たちが来てつくったものだったわけです。だからもともとの都市には農村的発想がたくさん入り込んでいたのですよね。それを戦後の経済成長などを通してぶち壊してしまった。ところがいままた都市のなかに、昔農村の人たちが都市に来てつくったようなものがじわじわと復活してきている。その原型は農村にあるわけで、農村は未来へのイメージをつくる能力をじつはもっている。

もっとも、その答えを、愚痴ばかり言っているような市町村長が出してくれるわけではないでしょう。しかし、本当はこちら側に、農村の側に宝の箱が残っているのが未来、それが大きな意味での伝統回帰の時代、いまの時代だと言えると思います。

討論から――ポジション取りとシステム保守を超えて

――私は今年で77歳になりますが、国の政策の流れに巻き込まれない、お金に負けない、自分の農業をやっていきたい。孫にも農業のよさを伝えたいです。

■本当の「高齢化」問題とは（＊17）

日本の社会はこれから高齢化していくとよく言われています。ただ、高齢者がふえること自体は別に問題はないのです。いま日本が立ち入っているのは本当はその問題ではなく、サラリーマンだった人が高齢化する、その人たちがふえていく。サラリーマン高齢者をこれからどうやってうまく社会のなかに組み入れていくか、というのがものすごく難しくなっているのです。サラリーマンにもいろいろな人がいて一概には言えな

（＊17）「いまの日本は、社会が制度（システム）として老人をつくりだしている」「老後の生活という言葉に、僕が不快感を覚えるのは、無価値な老人たちをどう生かせておくかというような発想が、その底にあるような気がするからである」❺『自然と労働』（36、216頁）

いのですけれど、企業以外の世界でもいろいろな付き合いをやったりしてきたような人たちは問題がないのですけれど、企業のなかだけで頑張ってきたサラリーマンが高齢化している。その奥さんもそういう感覚の人――友達と付き合う場合でも「うちの主人はどこそこで部長をやっています」とか、その看板を抱えて付き合いをやってきたような人――だったりすると、これはある意味では夫婦ともにサラリーマン高齢者です。こういう人がこれから激増していく。この人たちが社会に溶け込めない。サラリーマン時代の価値観が抜けないまま高齢化し、孤立していく。この問題が大きいということです。

農村は高齢者がいくらふえてもなんの問題もない。少々足腰が弱ってくるというようなことはあるでしょうけれども「だからなんですか」という程度の話です。

■ポジション取りに生きる人たち（＊18）

サラリーマンの世界って、もちろん小さい事業所もあるので、そういうところはサラリーマンでも共同で運営しているみたいな性格がでざるをえないのでまだいいのですけど、ある程度大きくなってしまうとシステムがしっかりしている。そうするとシステムのなかでポジションを取ることが生き甲斐になってしまう人が発生してきます。気が付くと日本の社会は皆そういう方向にいって、ずっとポジションを取ることばかり狙ってきた。ポジションを取るために「よい学校に進学しよう」、それで次は「よい会社に入ろう」という話で、またその先に係長、課長、部長というポジションがある。

さらに「老後の人生設計」というのも、「豊かな老後」というポジション取りになっている。そのポジションを取るために「貯金が３０００万要ります」とか、「年金をふくめて月に35万は要ります」とかいう言い方がされている――農家からすれば月に35万も年金が入ったら本当に左うちわですね――。そうやって不安を煽って、金融商品とかを販売しようという魂胆なわけです。それも本当に35万円も要るのかどうかという話ではなくて、「それがないと『老後生活を豊かに送る』というポジションが取れませんよ」ということなんですよね。これもまたポジション取りなのです。老後という生き方をどうするのかという話だったら、本当は千差万別、「いろんな生き方があります」というだけの話なんですけど、何かモデルにされているポジションがあるような感じです。

システムのなかでポジションを取っていくのが人生、みたいなことをずっとやってき

（＊18）「労働にたいする目的意識性も企業内位階制度をのぼっていくという昇格意欲に容易にすりかわった」❸『**戦後日本の労働過程**』（287頁）

「進学のための準備、就職のための準備、老後のための準備……、それが人生を経営するうえで一番確かな方法のように思われてきたのです」⓫『**子どもたちの時間**』（79頁）

た人たちがいま高齢化しはじめている。そういう生き方に疑問をもっているような人はいいのですけれど、疑問もなく受け入れている人たちもたくさんいます。そういう意味での高齢化時代がこれから大変なのです。

■システムを変えたくない

ポジション取りの時代ができてしまうと、ポジションを取ろうとしている人たちが一番困るのはシステムの変更なのです。どこでも地元で一番と言われる高等学校がありますけど、「この高校に行けばだいたいこのへんの大学に行ける」ということで頑張ってきた人にとっては、「入学したときには地域一の高校だったのに、卒業するときには地域最下位の高校になっていた」というのは困るわけです。そのポジションは守ってくれないと困る。だから結局、いろんな批判をしても、システムの変更はイヤなわけです。そういう気持ちがでてくる。

いまの安倍内閣の支持の問題などもそれがあります。個別政策では、原発再稼働にしろ安保法制にしろ、「よくない」と言っている人がかなりいる。農民でも、TPPに賛成かと聞けば大半は「よくない」と反応する。だけど選挙になると意外とそういう結果でもない。それは結局システム変更を嫌がっているからです。少々難があってもシステムを守ってくれる人のほうがいいということです。実際にはどの政党が政権をとってもシステムの劇的な変更などありそうにもないのだけれど、システムの変更への不安がイヤだということなのです。なんとなく政治家がいて後援会があって、というシステムみたいなものがあって、その後援会の末席にぶら下がったりしていると、そういうシステムが変更されて自分のポジションがなくなっていくのがイヤだ、という人がでてきてしまう。

いま、日本はこの問題がかなり深刻だという感じがしています。いろいろなところでシステムがしっかりできあがってしまったために、ポジション取りをめざし、システム変更はダメという、そういう保守主義――政治的保守主義ではなくて社会のあり方に対する保守主義――が広がっている。

テレビなどにでている評論家の人たちも信用できないと思うのは、あの人たちもシステムのなかでしっかりポジションを取っているからです。自分のポジションを絶対手放さない、その人たちが「非正規雇用は大変だ」とか、「これじゃ日本の農業は大変なことになる」とか言っても、やり方と発言している内容が一致していないでしょう、という感じがします。

こういう問題をこれから日本の社会はどういうふうに解決していくのか。これを解決するために「あなたのみていたシステムやポジションは幻想ですよ」と、いくら言ってもダメです。それよりも、そういうこととは違う生き方をしている人たちがじつに元気に楽しそうにやっているというのがみえてくることのほうが重要でしょう。

第3講 関係的世界への回帰

「死者は存在するか」という問いに対して

関係が先にある

日本で「社会」という言葉を使うときに用心しなければならないのは、欧米における社会観と日本における社会観は全然違うということです。

欧米の社会観では社会の構成員は生きている人間だけですが、日本の場合、まず自然と人間が社会をつくっていると考えてきた。自然をふくめての社会だし、人間についても生きている者だけではなく死者をふくめて社会だった。自然と生者と死者の社会（＊19）。伝統的にはそういう社会観をもってきました。

そう言うと、「では死者は存在するのか？」と考えるかもしれません。死んだ人の魂がこの世に存在しているなら、その死者もふくめて社会だというのは辻褄が合う。死者の魂は存在しないとなると、死者もふくめた社会は存在しないことになる。でも、このような文脈でとらえるのは近代的なとらえ方です。いま、明治維新から１５０年近く経って、私たちも日本人といいながら、ものの考え方はだいぶ西洋人化しています。実際、学校などでも徹底的にそういう教育をやっていますので、はじめに何か実体があってそれで世界が構成されているというとらえ方をしてしまう。「自然は存在しているからそれでいいけれど、死者となると、死者がいないと辻褄が合わない」という発想に立ちやすい。

日本の伝統的な発想はそこにはなくて、本質的なものは実体ではなく関係であるととらえてきた。死者、あるいは死者の魂があらかじめ存在しているかどうかはどうでもいいことで、死者との関係を通して私たちは社会をつくっている。この「関係を通してつくっている」という部分が日本の発想では大事なことなのです。

自然についても同じで、自然は確かに存在しているのだけれども、自然があるから「自然と人間の社会」と言っているわけではなく、「我々は自然との関係を通してこの社会をつくっている」ということなのです。日本の社会観では僕らは自然との関係を通してこの社会をつくっているし、生きている人間どうしの関係を通してこの社会をつくっているし、死者との関係を通してこの社会をつくっている。そういう関係があるということは、それが存在するということ

（＊19）「僕は子供の頃から墓地を歩くのが好きだった。いまの社会は、無数の死者たちの手によって築かれてきたはずだ。……いまの生を支えているものも、また過去の死である」❺『自然と労働』（41～42頁）「自然もまた社会の構成者なのである」⓯『共同体の基礎理論』（58頁）

とになる。はじめにそれが存在するから関係をつくるというのではないのです。

もう20年ぐらい前でしょうか、「他者との関係が大事だ」といろいろなところで言われたことがありました。この場合、「他者」は他の人びとという意味でもあるし、自然とか、人間以外のものもふくまれてくる。ただ、このときの圧倒的多数派は、「他者という実体がまずあって、私という実体がある。このふたつの実体が関係を結ぶ」というふうに考えました。でも日本の発想に立つとそうではなくて、先に関係ありきなのです。だから「関係が結ばれている以上、他者は存在する」というとらえ方になる。

なぜ仏壇に手を合わせるのか

この発想はいまだに僕らの社会に残っています。たとえば家族が亡くなったりすると、多くの場合、仏壇のようなものを用意して位牌や写真を置いたりする。朝になるとお茶とかご飯をあげたりする。いまの若い人たちでも家族が亡くなったりするとやっぱり位牌や仏壇が欲しくなる。東京などだと立派な仏壇を置く場所がないから、小型のデザインの仏壇らしくない仏壇が仏具屋に置かれているのですけれど、そういうものを買ってきたりする。それさえも置く場所がなければ、棚とかテーブルの一部に位牌を置いたり、位牌を置かない人でも何かそれに当たるようなものを置いたり、写真を飾ったりする。位牌を置けば、線香ぐらい立てるようにしないとまずいか、という気になったりして、線香を立てるものを用意したりする。それで朝起きるとお茶をあげたり、しばらく留守にするときには声をかけたりする。

これも見方によっては馬鹿なことをしているわけで、仮に死者の魂がないとすれば仏壇をつくろうが関係がないわけで、そんなことをしなくても同じですよという言い方もできる。けれどやっぱり日本の人間はそれをやらないとなんとなく気持ちが落ち着かない。それは結局死んだ人との関係を維持するということです。

「本当に魂はあるのですか」と聞かれても、仏壇などを設けている人も「あるような気もするし、ないような気もするし……」という中途半端な気持ちでしょう。人によっては「ある」と断言できる人もいるでしょうし、「ない可能性が強い」と思っている人もいると思うのですが、ここでやっていることは関係の維持なのです。関係が維持されているということは、少なくとも私にとっては亡くなった人の霊は存在することになる。死者との関係をつくらない人にとっては死者の霊は存在しないと言ってもよい。私が常に関係を保ちながら生きているから、私にとってはその死者の霊はある。しかし赤の他人からみれば、それは関係がないから存在しない。そういうことだと思えばよいです。

つまり、あらかじめ実体があるから関係が結ばれるということではなく、関係があるから実体がつくられているということなのです。「他者との関係」という言葉も、「私」と「あなた」

という実体どうしが関係を結ぶというとらえ方はちょっと違うのではないかと思っていて、むしろ関係が先にある。その関係を通して私もできているし他者もできていると思ったほうがよい。

「私」もまたいろいろな関係の総和

僕自身についてもそうで、はじめから「僕」という実体があるわけではない。ただ僕にはいろいろな関係がある。上野村との関係があるし、そのなかにも村の自然との関係、村の伝統的な文化との関係もあるし、村の人との関係もある。そういう関係が上野村での僕をつくっているということです。それから僕の場合は上野村だけにいるわけではなく東京にもいたりする。そうすると東京での関係もあります。東京では、自然との関係はあってもかなり細々としたものです。そういう細々とした関係のなかで僕は存在しているということになります。人間関係でも、上野村は村ですから当然人間関係も濃厚になりますけど、東京ではあっさりした関係になります。そういう関係のなかに僕の実体は存在しているということになる。文化はというと、東京ですから伝統文化との関係と言われてもほとんど困るというような関係しかない。

僕は東京ではマンションに住んでいるのですけれど、今年はそのマンションの管理組合副理事長です。理事は部屋番号で順番に回り番で決まります。で、理事会でジャンケンをして一番負けた人が理事長、二番目に僕が負けたので副理事長になったわけです。やってみたら副理事長はラクで、特に決まった仕事がない。黙って座っているだけでいいのです。その程度でなんとかなってしまいます。というのは、理事になってはじめてマンション管理組合の仕組みを知ったのですけど、管理組合の仕事を業者に全部丸投げしているのです。管理会社の人も理事会に出席していて、やるべきことを全部印刷して持ってくる。エレベーターのメンテナンスをA社からB社に変えたほうがこれだけ安いから変える、とかそういうことも全部そこに書いてあります。決定権は理事会にあるからいちいち理事会に諮るのですけど、会議の場所設定から何からすべて、管理会社がやってくれるという状況なのです。だからなかに住んでいる人間どうしはほとんど無関係のようなものです。だけどそういう無関係のような関係こそが僕の東京における実体をつくっているとも言える。

結局、僕という人間はいろいろな関係の総和、全体だというわけです（＊20）。上野村では自然をふくめてもう少し濃密な関係があり、東京ではよく言えばあっさりした関係、関係がないような関係で生きている。このセミナーのように、濃密な関係だけれども一年に一回だけとい

（＊20）「僕の存在とは、僕がもっている関係の総和である、こんなふうに考えるようになったとき、……頭のなかにひっかかっていた課題のひとつがとけたような気がした」❼**『続・哲学の冒険』**（150頁）

う関係もある。そういういろいろな関係があって自分自身を形成している。あらかじめ私がいてあなたがいて、その2人で関係を結ぶというような、契約関係のようなとらえ方ではなく、まさにいろいろな関係が積み上がっている状態こそが私という人間の実体をつくり出しているととらえたほうがよいと僕は思っています。

自然も他者も関係ありき

あらかじめ関係があってこそいろいろなものが存在する。自然というものも、関係のありようによって自然の実体は違ってきます。たとえば上野村で8月のはじめ頃に山をみるとします。8月は観光客も多くて、ぼーっと遠くの山をみている観光客もいるのですが、上野村の人が遠くの山をみているのとは全然違うでしょう。うちの村では山の山頂付近に点々と松の木が生えていて、マツタケが出る。たいていの村の人は「あのへんにマツタケは出そうかな」とみているわけです。マツタケは風通しが悪いところには出ないし、風通しがよすぎても出ない。ちょうどいい感じになっているかどうかをなんとなくみている。実際に採りに行くかどうかはわかりませんけど、僕なんかでも8月頃になると「あそこは行ってみる価値はあるな」という感じで山をみています(*21)。

そうすると、同じようにみえていても、みえている山とか森の実体は全然違う。これは別にどっちがいいということではなくて、村に住んでいる人間は自分の暮らしとつないでみているからそうなるし、僕もわずかですけど裏山を持っているから「ちょっと竹を切っとかないとまずいな」とか考えたりする。今年の正月も時間があれば裏山に登って竹を切っていました。こんなふうに暮らしのなかでみている山と、旅行でやって来てぼーっと眺める山は実体が違う。だから同じ自然があるとはとらえない。人によっていろいろな自然が存在している。それはその人によって結ぶ関係が違うからです。

他者も同じです。たとえばここに栗田さんという人がいます。あらかじめ栗田さんという実体があるととらえるのではなく、僕にとっては僕と栗田さんの関係を通して存在している栗田さんがいる。栗田さんの奥さんからすればまた別の栗田さんがいる。僕がみている栗田さんと奥さんがみている栗田さんは、もしかすると8割ぐらい似たような栗田さんかもしれないけれども、2割くらいは微妙に違うかもしれない。栗田さんがいる村の人のなかには、いろいろな活動をする栗田さんの存在が煙たくて、もしかしたら栗田さんのことを「いやなやつだ」と思っている人もいるかもしれない。そうするとその人にとってはそういう関係のなかでみてい

（＊21）「畑の耕作を媒介として山とはなにかをとらえていくことは、明らかに僕自身が自然の一員に加わっていく過程だった」❷**『山里の釣りから』**（181頁）

る栗田さんが存在することになる。誰からみても同じ栗田さんがいるわけではない。栗田さんなる普遍の実体があるわけではなく、関係の結ばれ方によって違う栗田さんがいると言って構わないのです。

神仏と関係を結んでいるから神仏は存在する

それは信仰でもそうです。僕からすると、キリスト教の神様とかイスラム教の神様は存在しない。なぜかというと、神様との関係を結んでいないからです。だから「キリスト教には神様がいるらしいね」という程度の話でしかない。でも、それらの神様としっかり関係を結んでいる人にとっては、当然ながら神様はいる。その人たちは関係を結んでいるから神が存在するわけです。

ただ、キリスト教の教義からいくとそういうとらえ方はしていなくて、神は間違いなく不動のものとして存在する。キリスト教の考え方でいくと、僕は神が存在することに気づいていないということになります。僕はそのとらえ方はいかにも西洋的と思っています。日本的な発想でみていくならばそうではなく、僕は関係を結んでいないから僕にとっては神は存在しない。だけど僕の立場が絶対ではないわけで、キリスト教の神と関係を結んでいる人にとっては神は存在している、ということです。ただそれだけのことではないかと思うのですけれど、ヨーロッパから出てきた発想は、事実として厳然として存在するという話にもっていく。この発想は日本的ではないのです。

逆に言うと、僕にとっては神といえば日本の八百万の神で、この神はかなり存在感がある。なぜかというと村には山の神とか、いろんな神がいるからです。村の人間にとって山の神は村の仲間のようなところがあって、何やら付き合いながら生きている。水の神とも何やら付き合いながら生きている。そうすると山の神、水の神は存在するということになる。だけどそれが本当に実体として存在するかというと、じつはどうでもよい。関係を結んでいるから実体としてあると言っているのであって、あらかじめ実体があるというのとは違う。僕もそう言いながら山の神に会ったこともないし水の神に会ったこともない。そうなのだけれども村の暮らしではそういう関係を大事にしながら生きている。それは仏との関係も同じで、僕の場合には宗教的にはほとんど無宗教みたいなものなので、どんな仏にも手を合わせる。そういう関係のなかに仏がある。だからそれでいいのではないかと思っています。

日本にあるような、何にでも手を合わせていくというような生き方は、欧米の人たちにはわかりづらい。その人たちからみれば、仏教の仏も日本的な神も、そんなものは存在しないということがあっても当然よいのです。彼らは関係を結んでいないというだけのことですから。最近では日本人以上にそういうことを理解している外国人がいて、驚くほどよく知っているのですけれど、多数派にとっては日本の神仏など関係ないでしょう。

神がいるから神との関係を結んでいるわけではないし、仏がいるから仏との関係を結んでいるわけでもない。逆に、神や仏と関係を結んでいるから神や仏はいるということです。つまり夫婦みたいなものです。夫婦という関係があるから夫とか妻が存在する。夫婦という関係がなければただの男と女が存在するだけです。はじめから夫が存在するとか、はじめから妻が存在するというのはありえない。あくまで関係が発生しているから妻とか夫が存在している。その夫や妻は、他の人からみれば夫でもなく妻でもなく、ただの友達だったり隣近所の知り合いだったりする。その場合「あの人は近所の知り合いです」とか「あの人は友達です」というのも、「夫です」「妻です」というのもどちらも正しいわけで、それは関係のつくられ方が違うからということです。

そんなふうに日本の発想は、関係が先で、関係こそすべてを存在せしめる。「自然と生者と死者の社会」といったのも、この三つの実体があってこの社会をつくっているという発想ではなくて、私たちが自然との関係を通してこの社会をつくり、人間どうしの関係を通してこの社会をつくり、死者との関係、先輩たちとの関係をいつも感じながらこの社会をつくっている、ということです。あらかじめ死者の魂があるかないかということは、じつはどうでもよいのです。

合理主義の時代の終わり

いまおもしろいなと思っているのは、「死んだあと消えてしまうのでしょうか、それとも魂が残るのでしょうか」という問いに対して、若い人は圧倒的に「死者の魂はある」という見解をとる人が多いです。むしろ高齢者のほうが「ない」という感じです。

いまから20年くらい前にとったアンケートでは、８割くらいの人が「死者の魂はある」と答えています。その人たちも「あるという証拠はどこにあるのか」と問い詰められたら「そんな気がする」というような答えになってしまうわけで、せいぜい臨死体験の本とかをみて「どうもありそうだ」と思うぐらいでしょう。でも、いま20代とか30代くらいの人が「ある」と言うのは、やっぱり死者との関係みたいなものが存続するという感覚が強いからでしょう。死んだら関係は終わる、ということではない。「いつも私は感じている、感じているからある」ということです。

その点でも伝統回帰が起きているのだと思います。日本は明治以降だんだん西洋化をすすめていき、戦後になってアメリカナイズされた教育を浸透させて、それは合理主義の時代をつくった。すべて合理的に説明できないものは信じるに値しないという考え方です。戦後の合理主義の時代に青少年期を過ごした、あるいはそういう時代に生まれた世代は依然として合理主義的な考え方をもっています。でも、そういう人たちでもやっぱり家族が亡くなったりすると、仏壇をつくったりする方向になんとなくいかざるをえない。いまの若い世代になると、すべてを合理的な論理で割り切ろうとすることにむしろ批判的というか、それには無理があることに気がつきはじめている。それでごく普通に「死者の魂はあります」とか言うようになってきているのではないかという気がします。

僕は東京にいるときには友達にスズメもいます(*22)。スズメも仲良くなると、目の前までは来ませんけど、2メートルくらい近くまで寄ってきたりする。そうすると僕のほうも「こんにちは」と言う。すると向こうも「こんにちは」というふうな感じになります。

以前住んでいたところではもうちょっと仲良くなっていました。あいつらは朝が早い。朝、遊びに来られるように窓を少し開けておきます。一応カーテンはかけておくのですけど、そこからカーテンを押しのけて家に入って来て、家のなかで遊んでいる。そういうことがよくありました。そのときも「こんにちは」とかやっている。

その話をすると、若い人などは「どうやったらそういう関係をつくれるか、教えてください!」というような感じで、すごく関心をもちます。僕は「簡単な話だ」と言っていて、「出会ったらちゃんと挨拶しなさい」と。「こんにちは」とか「今日は寒いね」とか「元気?」とか。たぶんスズメは日本語はわかっていないのですけど、自分に挨拶しているというのだけはわかるみたいです。そのうちに向こうもチュンチュンとか挨拶してきます。何を言っているかはこっちにはわからないのだけれども、お互いに挨拶しているという関係ができていく。そうすると向こうから「こんにちは」という感じで来たりします。いま、本当に、「お金の儲け方を教えます」とかより「スズメとの友達のなり方を教えます」というようなことによっぽど関心がある若い人が多いです。

そういうことをみていても、何かひとつの時代が終わってきたという感じがします。何でも合理的なものがよいという時代は終わってきて、むしろ、合理主義からみれば非合理になる、証明も説明もできない、でも関係はつくれるという、そういう世界のほうをとても大事にしている。

（＊22）アゲハの幼虫〈あお太郎〉、スズメの〈ちゅん太〉〈ぼうぜんさん〉、上野村のタヌキやムササビたちとの交友――❹**『哲学の冒険』**所収**「自然の中の友人たち」**、⓭**『里の在処』**「鳥たちもまた自分たちのルールをもって暮らしている」⓮**『戦争という仕事』**（79頁）「なぜ人間たちは「目的意識性」、「デザイン能力」といったものを人間だけに備わっているとみなす見解に同意したのか」⓯**『共同体の基礎理論』**所収**「社会デザインの思想」**（229頁）

文化もまた関係性の産物

文化も、文化という実体があらかじめあるわけではないのです。関係を結ぶ人たちのなかに文化がある。たとえばいま流行っているＡＫＢ48とか乃木坂46とか、あれは文化なのかといわれるとちょっとわからないのですけど、それが大好きで関係を結ぶ――関係といってもテレビでみるとかコンサートに行くとかそういう関係ではありますけれど――、自分のなかでは非常に重要な関係として生きている人たちがいる。その人にとってみればＡＫＢとか乃木坂とかもひとつの文化であっていいのです。そういうものと文化的関係を結ばない人にとっては、あんなものは文化ではないわけで、それでいいのです。村でやる祭りの神楽などもそうで、地域の人からみればそれは自分たちの暮らしとつながっている伝統文化で、そういう関係で生きている。

去年、僕のところにいた学生が、村のある集落で密かにやっている神楽――密かにといっても、別に隠しているわけでなくて、誰もみに来る人がいないだけですけれど――をみたいと、何人かやってきました。その集落には昔から神社はあるのですけれど、神楽は神社ではなく各家で持ちまわりで、当番の家が座敷を空けてそこでやります。座敷のなかで神楽が舞われて集落の人が集まっている。お茶もあればお酒もあり、多少のお菓子などもある。神楽を舞っている人とみている人の距離が非常に近い。来年は自分が舞うかもしれないし、隣のお兄さんが舞っていたりするので、いわゆるタレントがやっているようなイベントとは違って非常に近い距離で独特の雰囲気があります。学生たちはそれをみてとてもよかったようで、「こういう文化があるのか」と感心していました。でもそれは、たぶんそこに集まっている地元の人にみえている世界とは違っているでしょう。関係のありようが違う。そういう素朴なお祭りをみに来たという関係でしかない。現にそのなかにいる人たちとはおそらくみえている世界が違う。だから神楽という実体も、関係性のありようによって微妙に違ってくるわけです。

すべて、この世にあらかじめ何かの実体があるわけではない。関係がすべてをつくっているのであって、関係のつくられ方が多様なためにいろいろな実体がつくられていくということです。

実体本質論の限界

宇宙物理の説は本当か？

反対に、欧米系の思想では実体が本質だという立場をとってきました。

たとえば宇宙はどのようにしてできたのか。いま、定説に近いかたちで語られているのは、あるときにビッグバンが起き、それによって飛び散ったものから宇宙ができていった、というとらえ方です。その証拠を探そうとして世界中でいろいろなことをやっています。これ、もともとの発想が間違っていた可能性はないのでしょうか。「ビッグバンの前にはブラックホールのような超濃縮世界があって、それがついに自分自身の圧力に耐えられなくなって爆発し、すべてを吐き出した」。それがビッグバンなわけですけれど、ここで言っているのはすべて実体から実体への転換です。ブラックホールも実体だし、ビックバンも実体。その結果飛散したさまざまな物質というのも実体です。その物質などが集合離散をくり返しながら一部は太陽系になったと言われていますが、これも実体から実体への転換です。

これがもしもそうではなくて、単なる関係の変容でしかないとしたらどうでしょうか。あらかじめそのような実体はない。宇宙のなかの関係があって、その関係のありようのなかでいろいろな星や太陽系なる実体が、あるいは地球という実体が発生した。こう考えることは不可能なのでしょうか。しかしいまの宇宙物理のとらえ方はあくまで実体を追求する方向で、その実体の存在をいろいろな天体望遠鏡で探したり、電波をキャッチするなどして証拠をみつけようとしています。ブラックホールというのも、「いろいろなものをのみこんでいくような、ある種の関係」だというふうに考えることも、ありえないわけではないと思うのですけど。

いまの宇宙物理の考えは、ひょっとしたらこれは壮大なおとぎ話ではないかと思えるものもいっぱいあります。ホワイトホールというのもそうです。実体を求めていく考え方では、すべて表があれば裏があるというか、プラスがあればマイナスがあるという対の関係にならないと、実体があるという説明にならないわけです。だから「ブラックホールがある以上、ホワイトホールがあるはずだ」という話になるわけですけれど、ホワイトホールなんてその片鱗さえ発見できていません。右と左があることによって実体どうしのバランスをとるという論法になっているものだから、反対側が存在することをなんとかみつけようとするかたちになっているのです。でも、実験装置がうまくないからホワイトホールが発見できないのではなく、この発想自体が単なるおとぎ話である可能性はあるわけです。ただ、世界中の宇宙物理がその方向に向かってお金を投じて研究をやっているので、その路線から脱出できない。あらかじめそうだと思い込んでいる。

算数の頭から離れてみると

たとえば、ここに2個のリンゴがあって子どもが2人いるとします。このリンゴを分け合うとしたらどうしたらよいか、というと、僕らは算数の頭に慣れているから「1個ずつ分ければよい」となります。でも分け合うというのは、一方のA君にふたつあげてもよい。それでもう一方のB君が「僕は遠慮する」という分け方もあるし、逆にB君にふたつあげてA君が「遠慮するよ」という分け方もある。さらに言うと1個の4分の1だけをA君がもらって1と4分の3個をB君がもらうというのもある。いまはあまりないですけど、昔だったら「これはふたつとも神様にあげて僕らは食べるのはやめよう」という分け方もある。つまり、2個のリンゴを2人で分け合うには無限のやり方があるわけです。でも、算数を叩きこまれているために「ひとつずつ分ける」しか答えがないことになってしまう。それと同じように、皆で言い合ってきたからそれしか答えがないみたいになっていく。

正直に言ってわけのわからないことがいっぱいあります。たとえば物理学上の時間論では、時間は前に向かってすすんでいく。これをプラス時間というそうですけど、これも対の関係がないと辻褄が合わないから「マイナス時間」が存在するのだと。だから宇宙空間にはプラス時間とマイナス時間が存在する、しかも実体として存在するという話になっています。つまり、過去に向かっている時間と未来に向かっている時間とふたつ存在していることになる。もちろん過去に向かっていく時間があっても構わないのですけど、そんな実体があるのでしょうか。むしろある種の関係のなかで過去に向かっていったり未来に向かっていったりするものが発生するだけではないか。若い人はどちらかというと未来に向かっていく時間だけれども、僕らは歳をとってきて、特に認知症にでもなれば過去に向かっていく時間が発生すると言ってもいいわけで、そうするとそこに過去時間とか未来時間が展開するといっていいかもしれません。でもこれは、生きていく関係の世界が変容していっているからで、これもまた関係のつくられ方の変容でしかない（＊23）。

関係のつくられ方の問題だ

精神的な障害といわれるものの大半は、関係が安定しない、あるいは関係がつくれないというものです。認知症などもそういうケースが多い。それまでだったら親子の関係とか隣近所の関係、あるいは自分の住んでいる町との関係といったものが、安定した関係として位置づけられていたのが、不安定化してしまう。町との関係がその時々によって変わってしまうとか、親子の関係もつくれなくなってしまうというふうに。それを我々からみると「認知症になってしまった」ということになるわけです。いまの時代は、じつは関係障害のような病気がものすごく多くなっています。その場合、どうやったらまた関係が安定しうるのか、そのことを本当は研究しなければいけないと思うのですけども、実際の医学でやっているのは「脳の一部が機能しなくなったから」とかそういう話になっていく。これもまた障害の起きた実体を調べている

（＊23）自然や村の共同性のなかにつくられた時間（循環する時間）と、近代的な時間（直線的に過ぎてゆく時間）について――❾『**時間についての十二章**』

わけです。でも、実体の前に関係があるのではないだろうかということを、本当はもう少し考えないといけないし、症状が出てくる前に安定的な関係をどこにつくるかとか、その関係が壊れないようにどこにつくるかといったことのほうを考えなければいけないという気がします。

ヨーロッパから発生した発想でつくっている思想体系は、ことごとく実体先にありきなのです。だから「神は確かに存在する」ということが実体としてあると言いつづける。そんなことをなぜそう頑張らなければいけないのかと思います。「関係を結んでいるから神様はいる」、それだけでいいのではないかと思うのですけれども、向こうの発想ではそういう話にはならない。

伝統思想がみた関係的世界

修験道の修行から

僕は自称コスプレ修験者です。つまり一応修験者の服装を持っているけれども、修行をしないので——修験者は別に普通の格好でもよくて、むしろ山で修行をすることが修験者なのです。上野村にいるので夏になると滝に打たれたりはしますけど、それも滝の口の脇まで車で行く。もうひとつ言うと、滝行というのは本当は10月1日以降の修行なのですけれど、僕は8月の修行ですから。「そういうのは滝行じゃなくて水遊びだ」と知り合いの羽黒山の修験者は言うのですよね（笑）。

羽黒山はもともと仏教を中心に神様を統合した神仏習合のところです。江戸期に修験道は天台宗か真言宗のどちらかに入らなければならないという幕府の命令があって、どちらかに入れて管理しようとしたのですけれど、それで7割がたが天台宗に入って3割ぐらいが真言宗にいった。ただ天台宗も真言宗も庇《ひさし》を貸しただけで別に統制しようとはしなかった。だから「うちは天台系です」とか「真言系です」とか言いつつも、山々で独立してやっている感じでした。出羽三山では、羽黒山と月山は天台系、湯殿山だけが真言修験道になりました。寺が軸にはなったのですけど、修験道は神仏習合だから、神様の世界も内蔵させていました。それが明治の神仏分離で分けられ、明治5年には修験道禁止令がでます。そのとき羽黒山は神社庁に入り、神社として純粋化し、神社のなかの儀式として修験道的なものを内蔵させるというかたちをとりました。修験道とは名乗らずに修験道的修行をつづけるというかたち、神社修験道になってしまったわけです。もともと仏教系を軸にした神仏習合だったのだから本当は元に戻さなければいけない感じなのですけれど、神社が明治以降の権利を手放そうとしない。

明治のときにはかなりひどいことをやっていて、羽黒山に行ったことのある人は知っているでしょうけれど、入り口にかなり広い道があって両側に宿坊がつづいている。あの道は明治以降につくった道なのですけれど、あの道をつくるために寺を壊した。途中にあるひとつの寺は左右に分離されていて、お堂が分離されて真んなかに広い道がある。寺を破壊しようとしたということです。そういう歴史をもう少しまじめに考えてほしいと思ってはいます（＊24）。

羽黒山もお参りする人の数が減ったと言いつつもけっこうな観光地です。しかし山伏の衣装も僕らからみるとちょっと貧弱で、修験道の衣装では胸にかけるボンボンが6個ついたものがありますけれど――結袈裟《ゆいげさ》とかぼんたん袈裟といいます――、それも宮司さんは着けない。「神社で純化したので、仏教と結びつく袈裟は着けられない」というわけです。もとから神社系だったらばそれでいいのですけど、もともと仏教系だったのに袈裟がないのか、ということになります。仏教系は頭襟《ときん》を頭に着けるのですけれど、それもやらない。仏教的なものを全部外してしまっているわけです。それで「伝統的」と言われてもちょっと困るなあという感じです。羽黒山伏のなかには神仏習合に戻したいという人もいることはいるのですけど。本当に明治とはとんでもないことをやったという気がします。

意識もまた関係によってつくられたもの

ぼんたん袈裟に六つ付いているボンボンは「六根清浄《ろっこんしょうじょう》」を意味しています。仏教では、人間は六根、つまり六つの意識から成っていると言います。鼻識、舌識、耳識、身識、眼識、意識の六つです（六識とも言います）。

これは西洋式にいうと意識しかないということになります。日本では身識（皮膚などで感じるもの）も鼻や舌で感じるものも、全部意識だと考えてきた。というのは、我々は鼻でにおいを感じ、その瞬間に判断をする。つまり鼻自体が意識をもっているというわけです。でも、この解説のやり方はかなり近代的なのです。こういう説明の仕方をするとかなり西洋っぽくなってしまう。

日本の発想では、「鼻がある種の関係を結ぶ。その関係が、鼻がつくる意識の世界をつくる」と考えます。鼻がにおいを嗅ぐことによって関係がつくられる。そうするとその関係は意識をつくっている。舌も同じことで、食べものを口に入れると甘いとか苦いとか判断する。そうするとそこにひとつの関係ができる。その関係がまた意識をつくっていく。耳は音を聞く。そうするとやはり関係ができ、その関係が意識をつくっていく。身は暑いとか寒いとか風が強いとかいろいろ感じると、そこにもまたひとつの関係ができ、それが意識を発生させていく。眼が何かをみることによって関係が結ばれ、そこにも意識が発生する。６番目の「意識」というのは本当に自分自身が心で感じ取ることです。これもやはりひとつの関係です。

（＊24）修験道の弾圧について――⑮『共同体の基礎理論』明治維新と神仏分離令（152頁～）

器官があらかじめ意識を内蔵しているのではなく、器官で感じることを通して関係を結ぶ。その関係によってとらえられた実体が発生してくる。こういうふうにみてきたわけです。

自然の力で清らかな関係に

で、六根清浄の「清浄」というのは、清浄な関係、清らかな関係をつくるということです。すべてを清らかにとらえられる人間に変わっていこうとした。日本の思想である仏教や神道でも、生まれ変わるという考え方がものすごく強い。「いままでの私は汚濁にまみれているから、生まれ変わって清らかな人間になる」とか、そういう一種の生まれ変わり思想。死んで生まれ変わるというのとは別に、生きているまま生まれ変わる。言葉としても、何かひどい失敗をして謝るときにも「これからは生まれ変わったつもりで」なんて言ったりしますけど、そこには日本の伝統的な考え方がよく現われています。生きている間にだんだん汚れてくる。そのために清浄な関係が結べなくなる。そうすると清浄に物事をとらえられなくなる。いつもお金のことばかり気にしているとか、そうすると物事をちゃんととらえられなくなって、「あいつは自分に利益をもたらさない人間だ」とかそういうことばかりで判断するとか、そんなふうに汚れてしまう。それを清浄な人間に生まれ変わりたいということです。そのために、関係を結んでいく自分の入り口である六根——鼻識とか舌識とか——をきれいにして、きれいな関係でいろんなものをとらえようと、そういう生まれ変わりをめざしているのです。それでほとんどの修験は山を登るとき「六根清浄」と言いながら歩くのです。「六根」を使うと仏教になってしまうからというので、羽黒山は使いませんけど。

僕らが普通山を歩くときは「懺悔《さんげ》懺悔六根清浄」とずっと言いながら歩きます。いままでのことを「ごめんなさい」と言いながら、きれいにしてくれと自然に頼んでいるわけです。自分の力だけではきれいになれないので、自然にきれいにしてほしいとお願いする（＊25）。

奥にあるつながり合う世界

日本に入ってきた仏教から定着した考え方に、「法相《ほっそう》」というのがあります。そこで言っているのは、六識の世界が人間の意識のすべてをつくっているわけではないということです。その奥に「末那識《まなしき》」というのがある。この末那識は自我のようなものだと思えばよいです。自我とは何かというと、実体がない。何か自分なるものというか、あるのだけれど実体がよくわからない、そういう深層意識みたいなもののことです。

（＊25）「そこに日本の自然への強い信頼があった。すべてを飲み込むように支えてくれ、助けだしてくれるジネンの世界への信頼が」⑮『共同体の基礎理論』（77頁）

でも、これが一番奥の意識なのかというと、これで終わりません。ここまでは個人の意識の話でした。このさらに奥に「阿頼耶識《あらやしき》」というものがあって、これが最後、最奥です。阿頼耶識は何かというと、一人では形成できないものです。あらゆるものがじつは奥のほうでつながっていて、それゆえに成立している意識のことです。

僕たちは「わたし」という個人がいると考えていますけども、じつは僕も誰も彼も、奥のほうでは共通の世界でつながっている。人間だけではなく自然ともつながっているし、この世界に存在するあらゆるものがつながり合って形成している共通世界がつくっている意識。それが人間の一番の深層意識として存在するととらえたのです。だけれども、これは語れない。未那識ですら語りがたいのに、阿頼耶識となるともう本当に語れません。

Aという人もBという人も、スズメ君も松の木なども、じつは奥のほうでは共通の結び合っている世界をつくっていて、その世界を土台にしてAさんが発生したりスズメ君が発生したり松が発生したりしている。みんなでつながり合っているからこそ、この世界に発生している。この共通世界がつくりだしている意識が阿頼耶識で、この阿頼耶識が深層にある。その上に、各個体のみえない部分として未那識があり、その上に具体的に関係を結んでいくものとして六根の世界がある、というとらえ方です。

だから根源的には人間には個体性がないというとらえ方なのです。現象としてみえている世界には個体性があって、AさんもBさんもスズメも松もそれぞれの個体なのですけれど、本当の奥のほうではすべてが結ばれていてこそ成り立っている。ただそれをなかなか私たちは気づかないで生きているだけなんだと。

ここにあるのもじつは関係的世界です。あらゆるものが関係を結んでいる。自然とも関係を結んでいるし、宇宙の果てとも関係を結んでいる。そういう関係的世界が存在していて、その上に個体がまた関係を結んでいる。そういうことによって我々の生きる世界は存在している。こういうのが法相という考え方で、「唯識《ゆいしき》」とも言います。古代仏教のときに日本に入ってきたもののなかでこの考え方だけが残り、その後でてくるいろんな宗教教団で使われていった。この考え方をどこか奥のほうに置いて日本仏教は成立してきたのです。

日本人はつながり合う世界を感じていた

日本仏教にこういう考え方が浸透したというのは、人びとの考え方がこういうものだったということです。まったく違う考え方をもっている人に「仏教ではこう教える」といっても、「ふーん、そういう考え方もあるのだね」で終わってしまいますから。日本の人たちにもそういう考え方があったので腑に落ちた、だから定着したということでしょう。ここまで整理されたものかどうかはわからないけれど、もとから日本の人たちにはこういう考え方があった。

我々はすべて奥のほうでつながり合う世界に生きているのだけれども、そのことは忘れて自分の眼にみえる世界だけで「私は私！」とか言いながら生きている。しかしこれは本当は違うのではないか。「私」もいろいろな関係のなかに生きているし、奥のほうには「私」ではない関係の世界があって、そこではあらゆる生き物たち、生き物ではない石ころなどもふくめてすべて結び合っている世界をつくりあげているのが本当の我々の世界だと、そういう世界観のようなものをもっていたのだろうと思います。

おそらく伝統回帰の思想はこのあたりまで戻るだろうと思っています。ただ、これはちょっと時間がかかるでしょう。「実体、実体」の発想でこういうものは全部捨ててきてしまったから。時間はかかるだろうけれど、徐々にこういう方向に向かうのではないかと思います。

関係を成立させる「場」について

場が関係をつくり、関係が場をつくる

関係をつくり上げていく過程で大事なのは、関係をつくる「場」をどうもつかということです（＊26）。たとえば家族は関係で成り立っているけれど、関係が維持される、あるいは生まれ

る場をもっている。それが家族の生活という場です。場があるから絶えず関係が維持されるし再生産もされる。その関係のなかには、ときには親子喧嘩とか夫婦喧嘩もふくまれる。そういうこともふくめながら場とともに関係はある。村も同じで、村という場をもっている。そこでは村という場を通して自然との関係をつくっていたり、人間どうしの関係をつくっていたり、あるいは神仏との関係をつくっていたりする。僕も上野村にいるときは山の神を大事にしているのですけれど、東京にいるときは山の神なんかすっかり忘れています。それは当たり前で、東京では山の神が存在する場がない。東京のマンションで山の神にお祈りしていたってしょうがない、という感じになるわけです。上野村に行くと山の神を大事にしながら生きる場がある。上野村では、山に行ったら山の神様に挨拶をしようという気持ちにもなる。

場があってこそ関係が生まれる。あるいは関係があるから場が生まれる。循環論法（トートロジー）になりますけれど、人間がつくってきたものには循環論法でしか説明できないものが多いのです。つまり、別に科学的な研究の末にできたものではない。夫婦関係みたいなもので、夫婦という関係でいるから夫婦があるし、夫婦でいようとするから関係がある。

（＊26）「人間は場のなかで生きている。場をとおしてしか自分の生きる世界をつかむことはできない」⓭『里の在処』（16頁）

循環論法というのは、学問世界ではきわめて嫌がることです。学術論文でこの論法を使うと一発で撥ねられるほど嫌われているのですけど、哲学を仕事としている僕からすれば循環論法でしか説明できないものはいっぱいある。いまのアカデミズムと称する世界が狭いのだと思います。正直に言うとときどき大喧嘩になります。僕は「場があるから関係ができる、関係があるから場ができる」、これで十分ではないかと思っています。

共同で神仏の世界と結ぶ――能の場合

日本のものには、じつはこういうものが多いのです。能なども、いまは単なるお金を払ってみに行く演劇になってしまっていますけれど、本来、能には観客と演技者の境界がない。みている人と舞っている人が一体になっていく。いまの言葉で言えばトリップするということですけれど、一体となることによってあの世に行くと言ってもよいし、現実世界を超越すると言ってもよい。神仏の世界に行くと言ってもよい。共同で結び合うことによって次元を超える。現実世界を超越していわば真実の世界を垣間みる。能は本来そういう神事と結んだものです。

いまやっている能は神事ではなくなっているので、本当は違うんだよなという気がします。能役者のなかには問題意識をもっている人はたくさんいて、「いまは商売としてそうせざるをえないが本当は違う」と思っている人たちがいることはいます。

これも共同で場をつくるということです。そのためには舞台で舞っている人と見ている人が一体になる関係をつくらなければいけない、関係ができあがったときにその場があり、その場はいまの次元を超越する。神仏の世界を垣間みるということでもある。

関係づくりは場づくりだ

場と関係のあり方もこれからもう一度ちゃんとみなくてはいけないと思います。実際、東京などで関係をつくろうとしている人たちがやっていることは、場をつくることです。ただ関係をつくろうとしてもなかなかできない。皆が集まれる場をつくるとか、何かあったら相談に行ける場をつくろうとか、そういう活動をしている人がたくさんいます。コミュニティカフェをつくろうというのもそのひとつです。やはり「場があってこその関係」という方向性にあるという気がします。

その点から言うと、村というのは、伝統的には場がはっきりみえている世界でした。ということは、どういう関係によって村ができているかもみえていた。それを戦後になって相当壊してしまった。村があるからこそ関係が成立していて、そういう関係が成立しているからこそ村が成立しているという世界に、もう一度どんなふうに戻っていくか。都市部では場をつくりながら関係を結び、関係を結びながら場をつくるといったことをやっていかなければいけないときにきているのだろうという気がします。

機能的合理性を超えて

実体ばかりを追求してきた合理主義の時代というのは、機能的な有効性ばかりを追求する時代でもありました。農業でも機能的な有効性ということでいえば、化学肥料なんてすごく便利だし、農薬などは革命的に便利だし、ということになります。農薬は危険だと言う人がいても、「いや、こういう農薬なら大丈夫だ」と逆の研究をする人がでてきます。これも機能の研究をしているわけです。

だけどいま私たちが無農薬とか有機農業とかに関心をもっているのは、機能の問題ではないのです（＊27）。「自然がつくってくれたものを、自然の力を借りてお百姓さんがつくってくれたものを、自然なかたちで自分たちもいただきたい」ということなので、無農薬に１００％こだわっているわけではない。無農薬なんて無理な地域とか作目だっていろいろありますし。自然と人間の関係性のなかで作物が生まれ、そういうものとして私たちがいただく、そのことに関心があるのです。一部に「無農薬教」のような人もいますけど、あれは西洋的発想の無農薬教です。それよりも「あらゆる自然との関係性のなかで私たちは生きているということを、食べものを通しても手に入れたいと、そういう意味で有機農産物が欲しいというのがいまの関心です。そういうこともいまじわじわとふえてきている気がします。

他方で「いま使っている農薬ならばあったほうがよい」という人もいます。その論拠は何かというと、「農薬を使わないと、作物自身が一種の殺虫剤的な成分を内部につくり、カビや虫に負けないようにしようとする。ところがそれは有毒で、人間の体内に入るとかえってマイナスになる。農薬を適度に使うと植物はそこまで努力しないから体内毒素のようなものはつくらない。昔のような強力な農薬はダメだが、いま日本で認可されているような農薬だったら、農薬を使ったもののほうが体にいい」と言うのです。それはそうかもしれないし、そうでないかもしれないのですけど、これもあくまで機能論です。いまの問題はそういうことではないのです。自然との関係性が作物をつくり、私たちもそのことを理解しながらいただく。自然と人間の関係を回復するかたちで食べものを食べる。そういう世界に少しずつ戻っていきたいのだということです（＊28）。つまり私たちはどういう世界で生きていきたいかということです。どち

（＊27）「かつての労働には、「機能」をこえた価値が感じられた」⓮『戦争という仕事』（278頁）
「人間の時間世界をこえた雄大な時間の世界があることを気づかせてくれる森、……合理的に説明できない価値もまた森の価値である」❿『森にかよう道』（142頁）

（＊28）「自分自身の確かな生をとりもどすためには、しっかりとした関係の世界を回復しなければならないという考え方が……ひろがってきたように思う」❽『戦後思想の旅から』（178頁）

らが体によいかということで話をすすめると、「自然食品病」のような人がときどき発生してしまう。

◇

合理的な理解ではなく、説明不能な非合理性をもっているのだけれども、どういう関係のなかで生きるか。昔の日本の発想では、眼や舌が判断しているのではなく、眼や舌によって関係が結ばれ、それが私たちに意識を与えると考えました。さらに、その奥にはすべてが結び合っている世界があると考えた。そういう関係性のとらえ方、すべてを関係でとらえることに日本の伝統的な発想はありました。僕は、そこにこれからゆっくり戻っていくのではないかと思います。こういう言葉は知らなくても、人びとの気持ちはこっちの方向に向かっていると感じています。

第4講　どこに根を張るか

世界市場か、結び合う市場か

いまのTPPの条約はアメリカが批准しないと発効しないので、TPPは終わりでしょう（その後アメリカ抜きで締結された）。ただ「終わった」と喜んでいると、もっとすごい協定をアメリカから要求される可能性は十分にあるので、このあたりは注意を払っていくしかない。

名だたる大手総合企業が苦境に

いまの経済をみていくと、日本の一時代が終わったという感じがしてくる。たとえば電機メーカーをみても、東芝はさまざまな部門を切り売りしながら名前だけは残す方向にきている。実態としては東芝は終わったのではないかと思っています。また去年はシャープがホンハイという台湾のメーカーに買ってもらうことになったし、パナソニックも1万人以上の人員削減をして今年はなんとか黒字をだしているという状況です（＊29）。倒産するまでには至っていないけれど、ちゃんと利益をだす部門をもてるのかどうか、これから薄氷を踏む思いでしょう。ソニーなども、いまはまあまあなのはカメラ部門——といってもカメラ自体ではなく、撮影の素子が世界的にシェアが高いのでここはなんとかなりそうなのと、あとはソニー・ミュージックエンターテインメントという音楽部門がなんとか利益をだしています。あとはソニー銀行とかソニー損保とかが利益をだしていますけど、我々がイメージしている電機屋さんとしてのソニーはもう終わった感じがある。日本の電機メーカーはほとんど全滅に近い感じがします。

その一方で三菱重工なども相当ピンチになっていて、新しい利益部門がなくなってきています。豪華客船を何年も前に１０００億円ぐらいで受注したのですけれど、１０００億円以上の赤字をだしています。三菱重工に造船部門はあるのですけれど、世界のトップクラスの客船をつくることはやっていない。豪華客船のノウハウがないのに手をだしたのです。そうしたらいろいろなところに修正が必要になったりしているうちに大変な赤字になってしまった。１隻つくってもう事業から撤退するそうです。

三菱重工はＭＲＪという航空機もつくっていますけれど、これも引き渡しが伸びに伸びています。国産初のジェット旅客機と言っていますが、国産なのだろうかという感じもあります。ボーイングなどの場合、価格構成比でみると30％くらいが日本製です。いまの飛行機のつく

（＊29）「うちの会社の経営者たちは、人があまっている、なんてことを平気で口にするよ。おかしいと思わないか。……全く人間が物のようにあつかわれている」❹『**哲学の冒険**』（153頁）

り方は、世界的に分業して、それをたとえばアメリカに集めて組み立てるというやり方です。ボーイングの場合では胴体と主翼の付け根の部分をつくっているのがスバルで、三菱重工も重要なところをつくっています。だから価格構成比でいうと30％ぐらいが日本製と言えるので、准日本製のような一面があります。それに対し三菱重工がつくっているＭＲＪは、価格構成比で日本製は3割を切っている。7割以上が輸入部品という、輸入部品の塊のようなものです。これで国産と言えるのかどうか。

これも、いままでパーツづくりはやってきたからできると思ったのでしょうけれど、全体を常にデザインして生産工程を管理することはやってこなかったので、結局うまくいっていない。そこをなんとか補わないといけないので、いま、外国人技術者をたくさん入れています。非日本人の割合が過半数になっている。別に国産にこだわらなくてもよいのですけれど、マスコミで言うほど、「国産初のジェット旅客機」とか言うほどのものだろうかという気がします。

ああいう航空機は1000機ぐらいつくらないと採算が合いません。現在400機ぐらい受注してはいますけれど、確定受注が少ない。飛行機の場合、受注はオプション受注と確定受注があって、確定受注は確実に買うという契約、オプション受注はとりあえず契約するというだけでキャンセルできる契約です。生産が遅れるとキャンセルの可能性も高くなってくるでしょう。同じような飛行機をカナダもブラジルもつくっていて競合しているので、いち早く燃費のよいものをつくって売ろうとしていたのですけど、遅れに遅れています。その間に外国のメーカーが同じような性能のものを開発して、ＭＲＪに特に優れた特徴がなければ、そちらに流れるでしょう。カナダのボンバルディアなどはもともと小型機の専門メーカーだし、すでに世界で使われているから、買う側としては安心感があります。それから整備の問題もあって、整備しやすくないと困るから、技術の継続性のあるところのほうが使いやすい。経産省からの圧力もあるでしょうから全日空や日本航空は買うでしょうけれど、外国ははたして買ってくれるかどうか。

それに、遅れるということは開発費がどんどんふえていくということですから、ひょっとするとこの航空機は２０００機ぐらい売らないとペイしないかもしれない。そういうこともあるのではないかと言われはじめています。いまの状態では２０００機はとても無理で、当初の予定の１０００機ラインにもっていけるかどうかも怪しい。そうすると昔のＹＳ－11の二の舞になる。ＹＳ－11も海外に売るつもりだったのが思うように売れなくて赤字飛行機になってしまった。それで一度開発が途絶えてしまった（ＭＲＪはコロナ下で需要が見込めなくなり、休止状態になった）。

こういうのをみていくと、日本の名だたる総合企業が皆苦しくなってきた感じがあります。総合企業が没落してきたという感じが強い。

専業企業が優位に

それよりも、ある部分の専業企業のほうが強くなっています。たとえばアップルのアイフォンは日本製といっても構わないぐらいです。価格構成比で60％ぐらいが日本にお金が入ります。あれだけ小さなものに一昔前のパソコンよりも高性能の機能をもたせたのだから、非常に微細でかつ性能のよい部品が必要になるのですけど、そういう部品をつくるのは日本が強い。だから村田製作所とかそのあたりはそれほど業績は悪くないです。韓国のサムスン（三星）のつくっているスマートフォン・ギャラクシーも価格構成比で60％ぐらい日本に戻ってきます。こういった部品専業メーカーのようなところは非常に成績がよい。ところがスマホ自体は日本のメーカーは苦戦しています。シャープとかソニーとかがつくっていますがどこも苦戦している。

そういう方向性は以前からあったのですけれど、いまは完全にそういう時代になりました。ソニーでも撮影素子の部分だけはよくて、世界中のデジカメに使われている。部品メーカーとしてのソニーの一部分だけはわりに好調ということです。最終的な物を総合的につくるところが厳しくなってきたけれど、部品では善戦している。いま、経済ではそういう転換が進行しています。

トヨタは去年2兆何千億円かの利益をあげて、利益の面では世界でもトップクラスの優良企業なのですけれど、トヨタ自身はものすごく警戒感をもっています。こういう巨大な企業はちょっと歯車が狂っただけでとてつもない狂い方をしますから、安心してはいられないという感じです。東芝やシャープやパナソニックが危機に陥るなんて20年ほど前にはありえないことだったのに、いまや全滅のようになっていく。その二の舞にならないようにという危機感が自動車メーカーにはあります。

いまはいろいろなかたちで経済の構造が変わってきている時代だと思ってよくて、経済や企業というものはどこに根を張って展開するものなのか問い直さなければならない状態です。さっき述べたように部品という部分で、しかも非常に優れた技術をもっている、そこに根を張って生きていくというのもひとつのあり方でしょう。

市場しかみていない企業の危機

それからいま、サービス産業が市場としては大きくなってきています。ファミレスなどチェーン店がそこらじゅうに展開していますけれど、どこに根を張ったファミレスなのかを真剣に考えないと、よその真似をしたファミレスでは大変厳しくなっていく。実際にファミレスは長期じり貧状態になっています。今年から24時間営業を順次やめて、夜12時には閉店とするようにもっていくようです。それは12時以降の人件費を払っていると採算が合わないからということで、別に「健全な生活を」というわけではないのですけれど。どこもここも薄氷を踏む思いのようです。

2年ほど前だったか、あるファミレスが値段を少し上げて質も上げたら当たったということがありました。ところが、そうしたらどこもここも高価格、高品質路線にいった。結局半年ももたなくて、どこも客離れになり、低価格路線に戻すことになりました。ああいう店で「よりよいものを」というのは成立しないことになってしまいました。

そういうところはアルバイトをふくめて非正規雇用だらけだし、さらにチェーン店のなかにはブラック企業としかいいようのない企業がいくらでもある。働く側からしてもメリットのない会社だけれども、そういうふうに大展開している。いったいこういう会社はどこに根を張って生きるのだろうかと思うのですけれど、持続性のある根の張り方をもっていない会社なのです。よく言えばその都度その都度工夫をしながら生き延びていくということなのでしょうけれど、そんなものでしかない。

すごくわかりやすいと思うのはアパレルメーカーです。将来大丈夫だろうかと皆が思っている衣料品メーカーがいくつもある。急激な店舗展開をしたら当然ながら借金も多くなる。そうやってシェアを拡大するビジネスモデルでこれからもやり抜けられるのかどうか。実際にはアパレル市場は国内は長期低落傾向ですし、海外展開できているところはなんとか利益を稼ぎ出しているという感じです。ただ海外も、出店した当座は珍しいので客が行きますけど、それがリピーターになるかどうかはわからない。

それから、調子はよいのですけど、これで持続モデルとなっていくのだろうかと密かに言われている日本酒メーカーもあります。確かにおいしいお酒をつくっていたりするのですが、生産量をふやしすぎているメーカーもある。本来、酒をつくるには、水と農家と「提携」しなくてはいけない。つまり、米をつくってくれる農家と契約しなくてはならない。それとよい水を確保しなければならない。それをあまり考えていなくて、自分のところの事業展開しか考えていないと原料不足が起きてしまう。本来なら農家と協力関係を結び、山田錦のようなつくりにくい酒米もつくってもらいながら酒をつくらなければならないのに、仕入れの感覚でやっているとほころびがでてくる。

やり方が古すぎるというか、とにかく大量生産で市場を取ろうというような、とことん規格化して人間がいなくてもできる仕組みに変えようというやり方は、本当に持続性のあるモデルだろうかというと、じつはそうではないと思っています。

観光業でも、どんどん新規開発をやっていると当然ながら借金の山になっていく。いくら借金してもちゃんと回っていればいいのですけれど、うまく回らなくなった瞬間に完全に破たんしてしまう。

こういう部門にアメリカのファンドマネーが入ってきたりしています。短期的な利益をあげないとファンドマネーは許さない。高級リゾートとか高級旅館をやるならば人的開発をきちっとやらなければいけない。高級なサービスができるかどうかは人間の問題ですから。外見だけで高級化しても、ちゃんとした基盤をつくっていないと、最終的には厳しくなる。

根の張った経済社会へ

小さくても根の張った企業

これからの経済を考えると、「どこに根を張るのか」ということを企業もしっかり考えなければいけないでしょう。

さっき例を挙げたアパレル業界は、伝統的に、大きな企業が2社くらいできるとその周りに小さい企業が何十とできるという構造をもっています。その小さいところは特徴のあるものをつくっている。場所によっては藍染のものだけをつくっているとか、最近では尾道を中心に国産ジーンズだけをつくっているところとか、家内工業に近いような小さいアパレル会社が何十社もできる。こういうところは総合的に何でも大量につくることはできないし、しない。自分の得意な部門で勝負するようなかたちです。もちろん経済の波などいろいろあるから浮き沈みはあるのですけど、なんとか生き延びていく。そんなに大きな設備投資はしていないし、少人数なので少々苦しくても皆で頑張ろうという雰囲気がある。こっちのほうが持続性があるわけです。総合アパレルメーカーのようになればなるほど、いっぺん歯車が狂ったら大変なことになる。結局、根を張っていないということです。

農業はどこに根を張るか

これからはこの問題が一番問われていくでしょう。農業でも同じことが言えます。農業はどこに根を張っているのか。それを考えなければいけない時代に移ってきました。

その点で言えば、ＴＰＰが発効しようが、アメリカから無茶な二国間協定を要求されようが、多少は影響を受けるかもしれないがほとんど受けない、というぐらいに根を張っているんだと、これからはそういうことが言えるような農業に少しずつ移行させていかなければ、市場動向だけでいつも右往左往する農業に変わってしまいます。市場動向だけで右往左往していると、日本の総合メーカーが陥った危機の二の舞になりかねません。

一方において僕らは農村的な農業に戻らなければいけない。というのは「自分の家は根を張っているから大丈夫だけど、残りの村の人全部がダメになった」というのでは、農業そのものがピンチになってしまうから、皆が生きていける農業を守らなければいけない。その視点はもちつづけなければなりません。けれどもう一方で、自分の農業がどこに根を張るかを考えなければいけない。それは地域によっても違ってくるだろうし、農業をやっている人たちの考え方によっても違ってくるでしょう。これは決して一律ではないけれど、自分がどこに根を張るか、そういうことを考えていかざるをえない。

僕は企業型農業がいけないとは思っていません。でも、いま国や経済界が言っている企業型農業は、全然根を張ろうとしない企業型農業です。だからこんなものはやめてくださいという気持ちです。「企業型で農業に参入するけれども、うちはここに根を張って、こういう農業をやるのです」というのがないと。もうひとつ、農村とどう付き合っていくか。これも根の張り方のひとつですけれど、こういうことを提示しながらやっていくのなら経営のかたちが個人経営であろうが企業型であろうが構わない。地域社会にも根を張らないで、儲かりそうだから参入する、儲からなければさっさと撤退する、そういう企業型の参入は、農村社会を荒らすばかりなのでやめてほしい。形態の問題ではなく、根の張り方の問題だと思うのです。

これは、一般経済から農業までふくめたすべてで問われはじめている問題だという気がします。

農業が経済社会のモデルに

こういうふうに考えていくと、根を張りながら経済活動をしていくやり方の基本のかたちは、農にあると思えてくる。もともと農の世界は、地域に根を張ってこそできる産業でした。これもまた地域によって自然の条件が違うから、自然とどう関わりながら農業をしていくか。これも根の張り方なわけです。またこの間日本の農民は都市の消費者との関係づくりとか、いろいろなかたちで新しい根の張り方を、この数十年で積み上げてきています。農業は伝統的にも地域に根を張り、自然に根を張るというかたちをもってきたし、新しい根の張り方の実験もだいぶ経験してきた。

ここに学びながら、「経済全般はどこに根を張るか」ということが一般企業においても問われていかなければならないのだろうという気がしています。

この後日米の二国間協定がどうなるか。相当厳しい協定を要求されるだろうとは言えますけど、現状ではそれ以上のことは何も言えません。というのは、トランプという人自身がよくわからない。あの路線で突っ走りつづけられるのかもわからない。じつは、そういう人ばかりを相手にせざるをえない時代に入っています。中国がこの後どういう交渉態度で我々に臨んでくるのかもわからない。国内事情いかんではすごい態度にでてくるかもしれないし、逆かもしれない。そんな国ばかりを相手にしているから、「これからの経済は……」という話をしても「わかりません」としか言いようがない。

そういうことに注意は払うべきなのでしょうけれど、大事なのは、そんなことに振り回されることなく、僕たちは――一般企業もふくめて――どういう根の張り方をして持続性を確保するか。そこのところを考えていかないといけない時代に移ってきたということだと思います。

著者紹介

内山　節（うちやま・たかし）

哲学者。1950年東京生まれ。東京と群馬県上野村を往復しながら暮らしている。主な著書は『内山節著作集』（全15巻、農文協）に収録。近著に『日本人はなぜキツネにだまされなくなったのか』(講談社現代新書)、『いのちの場所』(岩波書店)、『修験道という生き方』（共著、新潮社）、『内山節と読む世界と日本の古典50冊』（農文協）など。立教大学大学院21世紀社会デザイン研究科教授(2010年4月〜2015年3月)などを歴任。NPO法人・森づくりフォーラム代表理事。『かがり火』編集人。「東北農家の二月セミナー」「九州農家の会」など講師。

内山節と語る　未来社会のデザイン
1　民主主義を問いなおす

2021年3月15日　第1刷発行

著 者　内山　節

発行所　一般社団法人 農山漁村文化協会
〒107-8668　東京都港区赤坂7丁目6－1
電話　03(3585)1142(営業)　03(3585)1145(編集)
FAX　03(3585)3668　振替　00120-3-144478
URL　http://www.ruralnet.or.jp/

ISBN978-4-540-20176-9
〈検印廃止〉

DTP製作／(株)農文協プロダクション
印刷・製本／凸版印刷(株)

定価はカバーに表示
乱丁・落丁本はお取り替えいたします。

内山節著作集

高度経済成長が終わった1970年代後半から、自然と人間の交通としての労働論を軸に、近現代を超える独自の思想を形成してきた内山節の真髄をなす著作を集大成。各巻に著者執筆による解題付き。

全15巻　揃価42000円＋税

第1巻 **労働過程論ノート**
労働の解放から人間存在の解放を展望する。 2900円

第2巻 **山里の釣りから**
「流れの思想」から川をとらえなおす。 2900円

第3巻 **戦後日本の労働過程**
経済発展がなぜ労働を貧しくしたかを鋭く分析。 2900円

第4巻 **哲学の冒険**
いまを美しく生きることを問う哲学入門。 2800円

第5巻 **自然と労働**
存在の無意味感を捉える哲学的エッセイ集。 2800円

第6巻 **自然と人間の哲学**
人間と労働から現代の自然哲学を構築する。 2900円

第7巻 **続・哲学の冒険**
60年代後半、若き日の思索をたどる哲学的自伝。 2700円

第8巻 **戦後思想の旅から**
戦後の時代精神に人間の空白を読みとる。 2700円

第9巻 **時間についての十二章**
時間という「存在」を関係からつかみとる。 2800円

第10巻 **森にかよう道**
「森と人間との営み」の回復を展望する旅。 2800円

第11巻 **子どもたちの時間**
小さな「人生の経営者」はなぜ生まれたか。 2700円

第12巻 **貨幣の思想史**
経済思想家はお金をどうとらえてきたか。 2800円

第13巻 **里の在処**
四季折々の村人との交流から里の意味を考える。 2700円

第14巻 **戦争という仕事**
現代の労働に戦争との共通点をみる仕事論。 2900円

第15巻 増補 **共同体の基礎理論**
未来を拓く可能性としての共同体論。 2700円

価格は本体価格

（価格は改定になることがあります）